D1264044

Yellow birds

LA COSMOPOLITE

Kevin Powers

# Yellow birds

roman

Traduit de l'anglais (États-Unis)
par Emmanuelle et Philippe Aronson

Stock

TITRE ORIGINAL :
The Yellow Birds

Couverture Atelier Didier Thimonier
Illustration de couverture : © Walter B. McKenzie/Getty Images

ISBN 978-2-234-07398-2

*Pour ma femme*

A yellow bird
With a yellow bill
Was perched upon
My windowsill

I lured him in
With a piece of bread
And then I smashed
His fucking head...[1]

*Chant militaire traditionnel de l'armée américaine*

L'ignorance des maux à venir, et la négligence des maux du passé est une disposition miséricordieuse de la nature qui nous permet de digérer le mélange de nos quelques jours néfastes et, tant que nos sens soulagés ne retombent pas dans des souvenirs douloureux, nos chagrins ne sont pas irrités par le fil acéré des répétitions.

*Sir Thomas Browne*

1. Un moineau jaune / Au bec jaune / S'est penché / Sur ma fenêtre / J'lui ai donné / Une miette de pain / Et j'lai éclaté / Ce putain d'serin...

# 1

## SEPTEMBRE 2004

*Al Tafar, province de Ninawa, Irak*

La guerre essaya de nous tuer durant le printemps. L'herbe verdissait les plaines de Ninawa, le temps s'adoucissait, et nous patrouillions à travers les collines qui s'étendaient autour des villes. Nous parcourions les herbes hautes avec une confiance fabriquée de toutes pièces, nous frayant, tels des pionniers, un chemin dans la végétation balayée par le vent. Pendant notre sommeil, la guerre frottait ses milliers de côtes par terre en prière. Lorsque nous poursuivions notre route malgré l'épuisement, elle gardait ses yeux blancs ouverts dans l'obscurité. Nous mangions, et la guerre jeûnait, se nourrissant de ses propres privations. Elle faisait l'amour, donnait naissance, et se propageait par le feu.

Puis, durant l'été, elle essaya encore de nous tuer tandis que la chaleur blanchissait les plaines et que le soleil burinait notre peau. Elle faisait fuir ses citoyens qui se réfugiaient dans les recoins sombres des immeubles couleur de craie, et jetait une ombre blême sur tout, tel un voile sur nos yeux. Jour après jour, elle tentait de nous supprimer, en vain. Non pas que notre sécurité fût prévue. Nous n'étions pas destinés à survivre. En vérité, nous n'avions pas de destin. La guerre prendrait ce qu'elle pourrait. Elle était patiente. Elle n'avait que faire des objectifs, des frontières. Elle se fichait de savoir si vous étiez aimé ou non. La guerre s'introduisit dans mes rêves cet été-là, et me révéla son seul et unique but : continuer, tout simplement continuer. Et je savais qu'elle irait jusqu'au bout.

Quand septembre arriva, la guerre avait décimé des milliers de personnes. Les corps jonchaient ici et là les avenues criblées d'impacts, étaient dissimulés dans les ruelles, et entassés dans les creux des collines aux abords des villes, les visages boursouflés et verts, allergiques à présent à la vie. La guerre avait fait de son mieux pour tous nous éliminer : hommes, femmes, enfants. Mais elle n'avait réussi à tuer qu'un peu moins d'un millier de soldats comme moi et Murph. Au début de ce qui était censé être l'automne, ces chiffres signifiaient encore quelque chose pour nous. Murph et moi étions d'accord. Nous refusions d'être le millième mort. Si nous mourions plus tard, eh bien soit. Mais que ce chiffre fatidique s'inscrive dans la vie de quelqu'un d'autre.

Nous ne remarquâmes presque aucun changement en septembre. Mais je sais à présent que tout ce qui allait compter dans ma vie s'amorça alors. Peut-être la lumière descendait-elle un peu plus doucement sur

Al Tafar, car elle se perdait au-delà des silhouettes fines des toits et dans la pénombre des renfoncements sur les boulevards. Elle inondait les briques de terre et les toitures en tôle ondulée ou en béton des bâtiments blancs et ocres. Le ciel était vaste et grêlé de nuages. Un vent frais nous parvenait des lointaines collines à travers lesquelles nous avions patrouillé toute l'année. Il soufflait sur les minarets qui s'élevaient au-dessus de la citadelle, s'engouffrait dans les ruelles en agitant les auvents verts, et poursuivait son chemin jusqu'aux champs en friche qui encerclaient la ville, pour finir par se briser contre les demeures hérissées de fusils dans lesquelles nous étions disséminés. Les membres de notre unité se déplaçaient sur le toit terrasse où nous étions en position – traînées grises dans les lueurs qui précédaient l'aube. C'était la fin de l'été, un dimanche me semble-t-il. Nous attendions.

Nous rampâmes durant quatre jours sur le gravier qui recouvrait cette toiture, glissâmes sur un tapis de douilles en laiton, vestiges des combats des jours précédents. Nous nous recroquevillions dans des positions absurdes, et nous blottissions au pied des murs blanchis à la chaux. Les amphétamines et la peur nous tenaient éveillés.

Je levai la tête juste au-dessus du muret qui bordait le toit, pour essayer d'observer les quelques hectares de ce bas monde dont nous avions la responsabilité. Les bâtiments massifs au-delà du champ qui s'étendait à nos pieds ondulaient dans la lentille verdâtre de mon viseur. Suite aux derniers combats, des corps étaient éparpillés entre notre position et le reste de la ville. Ils gisaient là dans la poussière, brisés, déchiquetés, difformes, leurs tuniques blanches noircies de sang. Certains fumaient encore au pied des genévriers et dans les touffes d'herbe éparses, et une odeur entêtante de carbone et d'huile de culasse flottait tandis que les cadavres brûlaient dans l'air frais du matin. Je me retournai pour m'abriter derrière le muret et m'allumer une cigarette, dissimulant le bout incandescent avec la paume de ma main. Je tirai de longues bouffées et soufflai la fumée par terre, où elle se dispersa avant de remonter et disparaître. La cendre resta suspendue au bout de mon mégot. Un long moment sembla s'écouler avant qu'elle ne tombe sur le sol.

Le reste de l'unité commença à bouger en se bousculant dans la lueur vacillante de l'aube. Sterling, perché avec son fusil sur le muret, ne cessait de s'assoupir et de se réveiller tandis que nous attendions. De temps à autre, sa tête faisait un mouvement brusque et il pivotait pour voir si quelqu'un l'avait surpris. Il me fit un grand sourire loufoque dans l'ombre qui se dissipait, brandit son index et se barbouilla les yeux de Tabasco pour rester éveillé. Il se retourna vers notre secteur, et je vis ses muscles se raidir sous son uniforme.

À ma droite, la respiration régulière de Murph était un réconfort auquel je m'étais habitué. Il la ponctuait de crachats bien sentis qui atterrissaient régulièrement dans une flaque de liquide âcre et noirâtre grossissant sans cesse entre nous. Il sourit en levant la tête vers moi. « Tu veux une chique, Bart ? » J'opinai du chef. Il me tendit une boîte de tabac Kodiak qu'on lui avait envoyée, et tout en écrasant ma cigarette j'en coinçai quelques pincées derrière ma lèvre inférieure. Le tabac humide et piquant me fit venir les larmes aux yeux. Je crachai dans la flaque. J'étais réveillé. Dans la lueur grise du petit matin, la ville se dessinait. De l'autre côté du champ où gisaient les corps, des drapeaux blancs flottaient devant quelques fenêtres tels d'étranges napperons masquant les cavités obscures bordées de verre brisé. Les immeubles blanchis à la chaux étincelaient encore plus sous le soleil. Une légère brume s'élevait du Tigre et se dissipait, révélant ce qui restait de vie, et les chiffons blancs de la trêve tremblaient au-dessus des auvents verts dans la douce brise qui venait des collines du nord.

Sterling tapota le cadran de sa montre. Nous savions que les muezzins feraient bientôt résonner leurs mystérieuses mélodies mineures de minaret en minaret, appelant les fidèles à la prière. C'était un signe et nous savions ce que cela voulait dire : des heures s'étaient écoulées, et nous nous rapprochions de notre but – un but aussi vague et insaisissable que les aubes et les crépuscules impossibles à distinguer qui le rendaient réel.

« Attention, les gars ! » chuchota avec virulence le lieutenant.

Murph se redressa sur son séant et, tranquillement, déposa une petite goutte de lubrifiant dans le mécanisme de son fusil. Il le chargea et appuya le canon contre le muret. Son regard se perdit dans les recoins gris des rues et des ruelles qui débouchaient devant nous, de l'autre côté du champ. Des veinules parcouraient le blanc de ses yeux bleus telles des toiles d'araignée rouge. Ses orbites s'étaient creusées au cours des derniers mois. Parfois, lorsque je regardais son visage, je ne voyais que deux petites ombres, deux trous vides. Je laissai le boulon pousser une cartouche dans la chambre de mon fusil et hochai la tête dans sa direction. « On remet ça », dis-je. Il me fit un sourire en coin. « Encore les mêmes conneries », répondit-il.

Nous étions arrivés dans le bâtiment aux premières heures de la bataille, alors que le croissant de lune s'élevait dans le ciel. Il n'y avait aucune lumière allumée. Nous défonçâmes un portail en fer bringuebalant, autrefois peint en rouge et à présent rouillé. Il était devenu difficile de distinguer la peinture de la rouille. Une fois la rampe d'accès de notre véhicule baissée, nous sortîmes et nous précipitâmes vers les entrées. Quelques soldats de la première brigade coururent vers l'arrière, et le reste de l'unité se rassembla devant. Nous enfonçâmes les deux portes simultanément et pénétrâmes à l'intérieur en courant. L'édifice était vide. Tandis que nous parcourions chaque pièce, les lampes fixées sur nos fusils dessinaient dans l'obscurité d'étroits rayons de lumière dont l'intensité n'était pas suffisante pour distinguer quoi que ce fût. Nous n'éclairions que la poussière que nous soulevions. Dans certaines pièces, des chaises étaient renversées, et des tapis colorés pendaient aux fenêtres sans carreaux. Il n'y avait personne. Parfois, nous pensions distinguer une présence, et hurlions dans le vide l'ordre de se coucher par terre. Nous traversâmes ainsi toutes les pièces jusqu'au toit. Une fois là-haut, nous observâmes le champ plat et poussiéreux, et, au-delà, la masse noire de la ville.

Le premier jour, à l'aube, notre interprète, Malik, nous rejoignit et s'assit près de moi. J'étais appuyé contre le muret. Le ciel, d'un blanc opaque tel un ciel de neige, donnait l'impression que le jour s'était levé, mais ce n'était pas le cas. Nous entendions les combats qui faisaient rage dans la ville, mais autour de nous tout était calme. Seuls les bruits lointains des roquettes, des mitrailleuses et des hélicoptères qui plongeaient presque à la verticale nous rappelaient que nous étions en guerre.

« C'est mon ancien quartier », me dit Malik.

Son anglais était exceptionnel. Sa voix avait des sonorités gutturales, mais ce n'était pas désagréable. Je lui avais souvent demandé de m'aider à prononcer correctement les rudiments d'arabe que je connaissais. *Choukran. Afouan. Koumboula. Merci. De rien. Bombe.* Il m'aidait volontiers, mais finissait toujours par dire : « Mon ami, j'ai besoin de parler anglais. Il faut que je pratique. » Il avait étudié la littérature à la fac avant la guerre. Quand l'université avait fermé, il était venu nous voir. Son visage était dissimulé sous une capuche, et il portait un pantalon kaki usé avec une chemise décolorée qui semblait être repassée quotidiennement. Il ne se découvrait jamais la tête. Quand Murph et moi lui avions demandé pourquoi, il avait tendu son index et tracé une ligne au niveau de sa gorge. « Ils me tueront s'ils savent que je vous aide. Ils tueront toute ma famille. »

Plié en deux, Murph arriva de l'autre côté du toit, où il était allé aider Sterling et le lieutenant à installer la mitrailleuse après notre arrivée. En le regardant se déplacer, j'eus l'impression que l'étendue plate du désert le mettait mal à l'aise. Comme si les contreforts dans le lointain rendaient plus insupportable encore la végétation desséchée de la plaine.

« Hé, Murph, dis-je. C'est ici que Malik a fait les quatre cents coups quand il était petit. »

Murph s'accroupit très vite et s'assit près du mur. « Où ça ? » demanda-t-il.

Malik se leva et désigna d'un doigt, de l'autre côté du champ, à la limite de notre secteur, un ensemble de bâtiments qui se dressaient de guingois. Un peu plus loin, aux abords de la ville, nous apercevions un verger. Ici et là, des feux brûlaient dans des tonneaux en acier et sur des tas d'ordures. Sans nous lever, Murph et moi regardâmes dans la direction que Malik indiquait.

« Mme Al-Sharifi plantait ses jacinthes dans ce champ. »

Il écarta grand les bras comme s'il s'adressait à une assemblée.

Murph tendit la main vers la manche repassée de Malik.

« Fais gaffe, mon grand. Tu vas te faire repérer.

– C'était une vieille veuve un peu timbrée. » Il tenait ses mains sur ses hanches. Son regard fatigué se perdait dans le vague. « Les femmes du quartier étaient tellement jalouses de ses fleurs. » Malik rit. « Elles l'ont même accusée d'avoir recours à la magie pour qu'elles poussent aussi bien. » Il s'interrompit et posa ses mains sur le mur en terre cuite contre lequel nous étions appuyés. « Toutes ses fleurs ont cramé pendant les combats à l'automne dernier. Elle n'a pas essayé de les replanter cette année. » Il se tut brusquement.

J'avais du mal à imaginer la vie ici. Pourtant, nous avions patrouillé dans les rues dont parlait Malik, et bu du thé dans les petites cabanes en terre ; les mains aux veines délicatement dessinées des hommes et des femmes âgés qui vivaient là avaient tenu les miennes. « Hé, mon pote, lançai-je, tu vas te prendre une balle si tu ne te baisses pas.

— Dommage que vous n'ayez pas vu ces jacinthes », dit-il.

C'est alors que cela commença. Comme si le basculement d'un moment à un autre suivait sa propre trajectoire, quelque chose d'à la fois ponctuel et éternel, tels les nombres que l'on peut diviser à l'infini. Les balles traçantes fusaient des bâtiments de l'autre côté du champ. Nous les entendîmes déchirer l'air autour de nous, et claquer sur la terre cuite et le béton. Il y avait bien plus de projectiles que d'éclairs de lumière rouge. Nous ne vîmes pas mourir Malik, mais son sang éclaboussa nos uniformes. Lorsque nous reçûmes l'ordre de cesser le feu, nous regardâmes par-dessus le muret. Il gisait au sol, dans une mare de sang.

« Ça compte ou pas ? demanda Murph.

– Non, je crois pas.

– On en est à combien ?

– Neuf cent soixante-huit ? Neuf cent soixante-dix ? Faudra vérifier dans la gazette de la base. »

La cruauté de mon ambivalence ne me surprit pas à l'époque. Rien ne semblait plus naturel que de voir quelqu'un se faire tuer. À présent, bien au chaud et à l'abri dans ma cabane qui domine un cours d'eau claire au cœur des Blue Ridge Mountains, lorsque je pense à ce que ressentait le garçon de vingt et un ans que j'étais et à la façon dont il se comportait, je ne peux que me dire que c'était nécessaire. Je devais continuer. Et pour ce faire, je devais regarder le monde en face, et me concentrer sur l'essentiel. On ne remarque que les choses inhabituelles. Or, la mort n'était pas inhabituelle. Inhabituelle était la balle qui allait vous tuer, la bombe artisanale qui n'attendait que vous pour exploser. Voilà ce qui retenait notre attention.

Je ne pensai plus beaucoup à Malik par la suite. Il n'était qu'un personnage secondaire dont l'existence et la disparition ne faisaient que confirmer que j'étais encore en vie. Je n'aurais pas pu le formuler à l'époque, mais j'étais entraîné pour croire que la guerre fédérait tout le monde. Qu'elle rassemblait les gens plus que toute autre activité humaine. Tu parles. La guerre fabrique surtout des solipsistes : comment vas-tu me sauver la vie aujourd'hui ? En mourant, peut-être. Si tu meurs, j'ai plus de chances de rester en vie. Tu n'es rien, voilà le secret : un uniforme dans une mer de nombres, un nombre dans une mer de poussière. Et nous, nous pensions d'une certaine façon que ces nombres représentaient notre insignifiance. Nous nous disions que si nous demeurions ordinaires, nous n'allions pas mourir. Nous confondions corrélation et cause, et attribuions un sens particulier aux portraits des disparus qui paraissaient dans les journaux, méticuleusement alignés avec le nombre correspondant à leur place dans la liste grandissante des morts au combat. Nous y percevions le signe d'une guerre ordonnée. Nous avions le sentiment, ou l'intuition – quelque chose d'aussi éphémère qu'un afflux nerveux – que ces noms figuraient sur la liste depuis longtemps, bien avant que celui qui allait mourir n'arrive en Irak. Nous croyions que ces noms s'y trouvaient depuis l'instant où la photo avait été prise, un nombre donné, une place attribuée. Nous étions persuadés que leur mort datait de ce moment-là. Lorsque nous vîmes le nom du sergent Ezekiel Vasquez, vingt et un ans, originaire de Laredo, Texas, n° 748, tué par des tirs d'armes légères à Bakouba, nous eûmes la certitude que son fantôme avait marché depuis des années à travers le sud du Texas pour arriver jusque-là. Nous pensions qu'il était déjà mort dans le vol qui nous avait amenés ici, et que, s'il avait eu peur quand le C-141 à bord duquel il se trouvait avait piqué du nez et brusquement viré de bord au-dessus de Bagdad, c'était en vain. Il n'avait rien à craindre à ce moment-là. Il était invincible, absolument, jusqu'au jour où il ne l'avait plus été. *Idem* pour le soldat Miriam Jackson, dix-neuf ans, originaire de Trenton, New Jersey, n° 914, décédée au Landstuhl Regional Medical Center suite aux blessures subies lors d'une attaque au mortier à Samara. Nous étions contents. Non pas parce qu'elle était morte, mais parce que nous étions en vie. Nous espérions qu'elle avait été heureuse, qu'elle avait profité de son statut d'exception avant de se retrouver sous ce tir de mortier, en sortant étendre sur un fil derrière son conteneur l'uniforme qu'elle venait de laver.

Bien sûr, nous avions tort. Notre plus grosse erreur fut de croire que ce que nous pensions comptait. Il semble absurde à présent que nous ayons pu voir en chacune de ces morts une affirmation de nos propres vies. Que nous ayons pu croire que chaque mort appartenait à un temps donné et que par conséquent ce temps n'était pas le nôtre. Nous ne savions pas que la liste était infinie. Nous ne nous étions pas projetés au-delà de mille. Nous ne nous étions jamais dit que nous pourrions faire partie des morts vivants. J'ai cru à une époque que vivre cette contradiction avait guidé mes pas, et que, si je n'avais pas fait partie de la liste des morts, c'était peut-être grâce aux décisions que j'avais prises en adhérant à cette philosophie.

Maintenant, je sais que les choses ne se passent pas ainsi. Il n'y avait pas de balle qui m'était destinée, ni à Murph, d'ailleurs. Nulle bombe ne nous était promise. N'importe laquelle nous aurait tués exactement comme elles ont tué les autres. Il n'y avait pas d'heure ni de lieu prévus pour nous. Je ne pense plus à ces quelques centimètres à gauche ou à droite de ma tête, ou à ces quelques kilomètres-heure de différence qui nous auraient placés précisément là où la bombe avait explosé. Cela ne se produisit jamais. Je ne suis pas mort. Murph, si. Et même si je n'étais pas présent lorsque cela s'est passé, je crois sans l'ombre d'un doute que les sales couteaux qui l'ont poignardé s'adressaient à « qui de droit ». Rien ne faisait de nous des êtres d'exception. Ni le fait de vivre. Ni celui de mourir. Ni même celui d'être ordinaires. Pourtant, j'aime penser qu'il restait en moi une once de compassion, et que, si j'avais eu l'occasion de voir ces jacinthes, je les aurais remarquées.

Je ne fus pas choqué en voyant le corps de Malik, écrasé et brisé au pied du bâtiment. Murph me tendit une cigarette et nous nous allongeâmes à nouveau le long du mur. Mais je ne cessais de penser à une femme que la conversation avec Malik avait rappelée à mon souvenir, et qui nous avait servi du thé dans de petites tasses ébréchées. Le souvenir était très lointain, enseveli dans la poussière, attendant d'être déterré. Je me rappelais comme elle avait rougi et souri, et comme il lui était impossible de ne pas être belle, malgré son âge, ses rondeurs, ses quelques dents abîmées, et sa peau desséchée telle la terre craquelée dans la chaleur de l'été.

C'était peut-être un champ de jacinthes auparavant. Mais il n'y en avait pas lorsque nous fîmes irruption dans le bâtiment, quatre jours après la mort de Malik. Les herbes qui ondoyaient dans la brise étaient brûlées par le feu et le soleil d'été. Les ribambelles de gens dans la rue du marché, avec leurs longues tuniques blanches et leurs voix fortes, avaient disparu. Certains d'entre eux étaient étendus morts dans les cours des immeubles ou dans les entrelacs de ruelles. Les autres marchaient ou roulaient en lents convois, à pied ou dans de vieilles guimbardes orange et blanc, dans des chariots tirés par des mules, ou en groupes de deux ou trois, femmes et hommes blottis les uns contre les autres, vieux et jeunes, valides et blessés. Tout ce qui restait de vie dans Al Tafar quittait la ville en une triste parade. Ils franchirent nos barrages, nos barrières de béton et nos positions de tir pour gagner les collines desséchées de septembre. Durant ces heures de couvre-feu, aucun d'entre eux ne leva les yeux. Ils n'étaient que des taches de couleur alignées dans la pénombre, et ils partaient.

Une radio grésilla dans une pièce au-dessus de nous. Le lieutenant fit tranquillement part de notre situation à notre commandement. « Oui, mon capitaine, dit-il. Bien reçu », et l'information fut reprise encore et encore jusqu'à ce que, j'en suis sûr, quelqu'un quelque part dans une pièce bien au chaud, au sec et à l'abri, apprenne que dix-huit soldats avaient surveillé les ruelles et les rues d'Al Tafar durant la nuit, et qu'un certain nombre d'ennemis gisaient morts dans un champ poussiéreux.

Le jour était presque levé sur la ville et sur les contreforts du désert lorsque le bruit sourd et électrique de la radio céda la place au son des pas du lieutenant qui montait l'escalier menant au toit. De simples silhouettes prirent forme, et la ville, qui durant la nuit avait été vague et virtuelle, devint une chose concrète et palpable autour de nous. Je regardai vers l'ouest. Des beiges et des verts émergeaient dans la lumière. Le gris – des murs de terre, des cours et des bâtiments qui s'érigeaient telles de grosses ruches – s'estompait dans le soleil levant. Légèrement au sud, quelques feux brûlaient dans le verger aux arbres fruitiers maigrichons. La fumée s'élevait doucement au-dessus des cimes clairsemées, et ployait, soumise, dans le vent qui balayait la vallée.

Le lieutenant arriva sur le toit et se tassa, le haut du corps parallèle au sol et les jambes pliées, pour rejoindre le mur, contre lequel il s'appuya en s'asseyant. Il nous fit signe de nous rassembler autour de lui.

« OK, les gars, voilà ce qu'on va faire. »

Murph et moi nous collâmes dos à dos, jusqu'à ce que le poids de nos corps trouve un point d'équilibre. Sterling s'approcha du lieutenant, et le fixa d'un regard d'acier qui nous transperça tous. J'observai le lieutenant tandis qu'il parlait. Ses yeux étaient mornes. Avant de poursuivre, il poussa un soupir court et intense, et frotta avec deux doigts une rougeur couleur de framboise délavée qui formait un petit ovale sous son sourcil gauche et sur sa joue et qui semblait épouser l'arrondi de son orbite.

Le lieutenant était distant de nature. Je ne me souviens même pas d'où il venait. Il y avait quelque chose de réservé en lui, et ce n'était pas simplement une question de hiérarchie. Ce n'était pas non plus de l'élitisme. Il semblait insaisissable, un peu éloigné de tout. Il soupirait souvent. « On va rester ici jusqu'à midi environ, dit-il. La troisième unité va pousser dans les ruelles au nord-ouest de notre position, pour essayer de les faire sortir devant nous. Avec un peu de chance ils auront trop peur pour nous tirer dessus avant que nous... » Il marqua une pause. Sa main s'éloigna de son visage pour atteindre les poches sur sa poitrine sous son gilet pare-balles, à la recherche d'une cigarette. Je lui en tendis une. « Merci, Bartle », dit-il. Il se détourna pour observer le verger qui brûlait au sud. « Depuis quand ils brûlent, ces feux ?

— Sûrement depuis hier soir, dit Murph.

— OK, toi et Bartle, vous gardez un œil là-dessus. »

La colonne de fumée s'était redressée. Elle formait à présent une ligne noire qui bavait dans le ciel.

« Qu'est-ce que je disais avant ça ? » Le lieutenant regarda derrière son épaule d'un air distrait, et leva les yeux par-dessus le mur. « Putain », marmonna-t-il. Un soldat de la deuxième brigade lança, « Hé, pas d'inquiétude, mon lieutenant, c'est bon. »

Sterling l'interrompit. « Ferme ta gueule. Le lieutenant a fini de parler quand il dit qu'il a fini de parler. »

Je ne le compris pas sur le moment, mais Sterling semblait savoir exactement jusqu'où il pouvait aller avec le lieutenant, pour que soit respectée la discipline. Il se fichait qu'on le déteste. Il savait ce qui était nécessaire. Il me sourit, et l'éclat du soleil matinal se refléta sur ses dents droites et blanches. « Vous disiez, mon lieutenant, qu'avec un peu de chance, ils auraient trop peur pour tirer avant... » Le lieutenant ouvrit la bouche pour achever sa pensée, mais Sterling enchaîna, « Avant qu'on leur explose la tronche, à ces putains de hadjis. »

Le lieutenant hocha la tête, se pencha à nouveau et regagna les escaliers. Nous rejoignîmes nos positions en rampant, pour attendre. Un incendie s'était déclaré dans la ville, mais les murs et les ruelles nous empêchaient de voir d'où il provenait. Une épaisse fumée noire s'échappait d'une centaine de foyers à travers Al Tafar, s'élevant vers les cieux en une spirale unique.

Le soleil montait à l'est derrière nous et réchauffait le col de ma veste, cuisant les sillons durcis de sel qui s'étaient enroulés autour de mon cou et de mes bras. Je tournai la tête pour lui faire face. Je dus fermer les yeux, mais distinguai néanmoins sa forme, un trou blanc dans les ténèbres. Puis je me retournai à nouveau vers l'ouest, et regardai autour de moi.

Au-dessus des bâtiments poussiéreux se dressaient, tels des bras, deux minarets que la fumée dissimulait de temps à autre. Ils étaient inactifs ; ils n'avaient émis aucun son ce matin-là. Aucun *adhan* n'avait retenti. La longue ligne de réfugiés qui serpentait depuis les quatre derniers jours jusqu'à l'extérieur de la ville, avait diminué. Seuls quelques vieillards penchés sur des cannes en cèdre usées se traînaient entre le champ de morts et le verger. Deux chiens efflanqués bondissaient autour d'eux, leur mordillaient les talons, s'éloignaient sous les coups et revenaient à la charge.

Et cela recommença. Le gémissement orchestral des obus de mortier qui tombaient nous parvenait de toutes parts. Même après tant de mois, les visages des soldats de notre unité restaient interdits. Nous nous regardâmes bouche bée, les doigts crispés sur les crosses de nos fusils. C'était une aube lumineuse de septembre à Al Tafar, et la guerre semblait se concentrer sur nous, comme si elle n'avait lieu qu'ici. Je me souviens d'avoir eu l'impression de me retrouver dans une rivière glacée aux premiers beaux jours du printemps, trempé, terrifié et le souffle coupé, n'ayant d'autre choix que de nager.

« Chaud devant ! »

Nous réagîmes par réflexe, nos corps s'immobilisant, nos doigts entrelacés derrière nos têtes, nos bouches ouvertes pour maintenir le niveau de pression.

Puis le son des impacts résonna dans l'air matinal. J'attendis que le bruit de détonation s'évanouisse pour lever la tête.

Je regardai avec précaution par-dessus le muret, et une cacophonie de voix retentit, « C'est bon » et « Ça va ».

« Bartle ! lâcha Murph.

— C'est bon, ça va », répondis-je. Cherchant à reprendre mon souffle, je parcourus le champ du regard : la terre et les corps déjà morts avaient été malmenés encore une fois, et quelques petits genévriers étaient sens dessus dessous, là où étaient tombés les obus de mortier. Sterling courut jusqu'à l'accès au toit et cria par l'ouverture, « Tout va bien, lieutenant ! » Il s'approcha ensuite de chacun d'entre nous pour nous donner une claque derrière nos casques. « Préparez-vous, fils de pute ! » éructa-t-il.

Je le haïssais. Je haïssais la facilité avec laquelle il brillait dans la mort, la brutalité et la domination. Mais, plus que tout, je détestais qu'il fût nécessaire, je détestais avoir besoin de lui pour réagir alors même qu'on essayait de me tuer, et je détestais la lâcheté qui était la mienne jusqu'à ce qu'il me crie dans les oreilles, « Bute-moi ces enculés de hadjis ! » Je détestais l'amour que je lui portais lorsque j'émergeais de la terreur et que je faisais feu à mon tour en le voyant tirer lui aussi, souriant tout du long, hurlant toute la haine de ces quelques hectares qui semblaient se concentrer et se répandre à travers lui.

Et ils arrivèrent, telles des ombres dans l'encadrement des fenêtres. Ils surgissaient de derrière des tapis de prière et lâchaient des rafales. Les balles fusaient et nous nous jetions par terre tandis que nous les entendions ricocher et faire voler tout autour de nous des éclats de béton et de briques en terre. Ils couraient dans les ruelles jonchées d'ordures, et zigzaguaient entre les tonneaux en feu et les sacs plastique qui voltigeaient comme des bouquets de broussailles au-dessus des pavés antiques.

Sterling hurla longtemps ce jour-là avant que je n'appuie sur la détente. J'avais déjà des acouphènes dans les oreilles à cause du vacarme, et la première balle que je tirai dans le champ parut faire un bruit sourd en s'échappant de mon fusil. Elle souleva un petit nuage de poussière au milieu de nombreux autres nuages identiques. Des munitions par centaines faisaient voler la poussière sur le sol, les arbres et les bâtiments. Dans ce nuage, une vieille voiture s'affaissa avant de s'effondrer. De temps à autre quelqu'un se précipitait entre les immeubles, derrière les véhicules orange et blanc, sur les toits, soulevant des traînées de poussière.

Un homme se mit à courir derrière un muret dans une cour, en regardant autour de lui, étonné d'être encore en vie, tenant son arme dans ses bras. Mon premier instinct fut de lui crier, « Tu t'en es sorti, mon vieux, continue », mais je me rendis compte à quel point ce serait bizarre de dire une chose pareille. Les autres le repérèrent presque aussitôt.

Il regarda à gauche, puis à droite, la poussière voleta autour de lui, et j'eus envie de dire aux autres d'arrêter de lui tirer dessus, de leur crier, « Quel genre d'hommes sommes-nous ? » Une curieuse sensation m'envahit, comme si j'avais été sauvé, car je n'étais pas un homme mais un garçon ; et ce type derrière le muret avait peut-être peur, mais peu m'importait car j'avais peur aussi, et je me rendis compte, choqué, que j'étais en train de lui tirer dessus, et que je n'allais pas m'arrêter avant qu'il ne soit mort, et je me sentis mieux à l'idée que nous étions plusieurs à le tuer, car mieux valait ne pas connaître avec certitude l'identité de celui qui tirerait la balle fatale.

Mais je savais. Je le visai, et il tomba. Quelqu'un d'autre lui tira dessus, et la balle traversa sa poitrine et ricocha, brisant au passage le pot d'une plante suspendue à une fenêtre au-dessus de lui dans la cour. Il fut atteint à nouveau, et il s'écroula dans une étrange position – à la renverse, par-dessus ses jambes pliées. Il lui manquait la moitié du visage, et il y avait beaucoup de sang qui se répandait autour de lui dans la poussière.

Une voiture progressait vers nous le long de la route entre le verger et le champ de morts. Par les vitres arrière baissées, deux grands draps blancs flottaient dans son sillage. Sterling se précipita de l'autre côté du bâtiment, où la mitrailleuse était installée. Je regardai dans mon viseur, et distinguai un vieil homme assis derrière le volant et une femme âgée sur la banquette arrière.

Sterling éclata de rire. « Allez, fils de pute ! »

Il ne pouvait pas les voir. Je vais crier, pensai-je, lui dire qu'ils sont vieux, qu'il faut les laisser passer.

Mais des balles fusèrent sur la route défoncée. Elles pénétrèrent la carrosserie.

Je restai muet. Je suivais la voiture dans mon viseur. La vieille femme faisait courir ses doigts le long d'un collier de perles claires, les yeux fermés.

Je n'arrivais pas à respirer.

Le véhicule s'immobilisa au milieu de la route, mais Sterling ne cessa pas de tirer. Les balles traversaient la voiture de part en part, laissant de petits trous dans la carrosserie à travers lesquels on distinguait la fumée et la poussière qui flottaient dans la lumière. La portière s'ouvrit, et la femme tomba. Elle essaya de se traîner jusqu'au bord de la route. Elle rampa, son sang se mêlant à la cendre et à la poussière, puis elle s'arrêta.

« Putain de merde, ce salopard s'est fait buter », dit Murph. Il n'y avait ni tristesse, ni angoisse, ni joie, ni pitié dans ses paroles. Il ne portait aucun jugement. Il était juste surpris, comme s'il se réveillait d'une longue sieste, désorienté, réalisant que le monde avait poursuivi son cours sans discontinuer, malgré toutes les choses étranges qui pouvaient se produire pendant le sommeil.

Il aurait pu tout aussi bien dire que c'était dimanche, puisqu'on ne savait pas quel jour nous étions. C'eût été une chose incongrue, de remarquer que nous étions dimanche dans un moment pareil. Mais, quoi qu'il en soit, ce qu'il venait de dire était vrai, et cela n'aurait pas eu beaucoup d'importance si nous avions été dimanche. Étant donné qu'aucun de nous n'avait dormi depuis un bon moment, tout cela semblait insignifiant.

Sterling s'assit derrière le mur, près de la mitrailleuse. Il nous fit signe de le rejoindre, et sortit un morceau de quatre-quarts de la poche de son pantalon de treillis, tandis que nous entendions se tarir les dernières rafales. Il brisa le gâteau en trois morceaux. « Prenez ça, dit-il. Et mangez. »

La fumée s'élevait et commençait à disparaître. Je regardai la femme se vider de son sang au bord de la route. La poussière ondulait en vagues langoureuses pour finir en tourbillons. Nous entendîmes à nouveau des tirs. Une petite fille avec des boucles auburn et une robe déchirée sortit de derrière un immeuble et se dirigea vers la vieille femme. Des balles perdues qui venaient d'autres positions fouettèrent le sol, soulevant autour de l'enfant des gerbes de poussière.

Nous regardâmes Sterling. Il nous fit signe de cesser le feu. « Faut que quelqu'un appelle pour dire à ces enfoirés que c'est juste une gosse », dit-il.

La fillette se faufila derrière l'immeuble puis réapparut en se traînant cette fois très lentement vers la vieille femme. Elle tenta de déplacer le corps, et son visage se déforma sous l'effort tandis qu'elle tirait la vieille femme par le bras qui lui restait. La fillette se mit à décrire des cercles. Elle laissait derrière elle dans la poussière fine des traces de pas pleines de sang qui formaient un chemin allant de la voiture encore en flammes jusqu'à l'endroit où la femme était étendue, morte, en passant par une cour bordée de jacinthes. L'enfant veillait le cadavre et se balançait d'avant en arrière en remuant les lèvres comme si elle chantait quelque élégie du désert que je ne pouvais entendre.

La cendre des briques en terre qui avaient brûlé et la graisse des corps d'hommes et de femmes ayant pourtant été minces recouvraient tout. Les minarets blêmes surplombaient la fumée, et le ciel demeurait pâle comme la neige.

La ville semblait tendre ses bras vers les cieux, pour s'extraire de la poussière qui retombait.

Notre rôle était terminé, du moins pour le moment. Nous étions en septembre, et même s'il restait peu de feuilles sur les rares arbres, certaines tombaient malgré tout. Elles se détachaient des branches chétives, et, dans la lumière, elles volaient, poussées par le vent qui descendait des collines au nord. J'essayai de les compter tandis qu'elles dérivaient après avoir largué leurs amarres sous l'impact des obus de mortier et des bombes. Elles tremblaient. Une fine pellicule de poussière flottait autour de chacune d'entre elles.

Je regardai Murph, Sterling, et le reste de l'unité sur le toit. Le lieutenant s'approcha de chacun d'entre nous et posa sa main sur nos bras, en nous parlant doucement, pour que le son de sa voix nous apaise, comme on le ferait pour calmer des chevaux effrayés. Nos yeux étaient peut-être humides et sombres, et peut-être montrions-nous nos dents. « Bien joué », et « Ça va », et « Ça va aller », disait-il. Ce n'était pas facile de penser que tout irait bien, que nous nous étions bien battus. Mais je me souviens d'avoir entendu quelque part que la vérité ne dépend pas du fait d'être cru.

La radio se remit en marche. Bientôt, le lieutenant nous donnerait une autre mission. Nous serions fatigués lorsque tomberaient les ordres, mais nous partirions néanmoins, car nous n'aurions pas le choix. Peut-être l'avions-nous eu à un moment, le choix de prendre un autre chemin. Mais notre route était décidée alors, quoique inconnue. La nuit allait tomber avant que nous ne nous en rendions compte. Nous avions survécu, Murph et moi.

Je m'efforce aujourd'hui d'essayer de me rappeler s'il y a eu le moindre signe avant-coureur de ce qui allait advenir, quelque ombre au-dessus de sa tête, quelque chose qui m'aurait permis de savoir qu'il était sur le point de se faire tuer. Dans les souvenirs que j'ai de ces journées passées sur le toit, il est à moitié un fantôme. Mais je ne m'en suis pas rendu compte à l'époque ; je n'en étais pas capable. Personne ne l'est. Je crois que je suis content de ne pas avoir compris, parce que nous étions heureux ce matin-là de septembre à Al Tafar. La relève arrivait. La journée était lumineuse et douce. Nous dormîmes.

# 2

## DÉCEMBRE 2003

*Fort Dix, New Jersey*

Mme LaDonna Murphy, postière en zone rurale, n'aurait eu qu'à lire le premier mot de la lettre pour savoir qu'elle n'était pas de la main de son fils. En vérité, il ne lui avait pas envoyé beaucoup de courriers, donc je lui avais écrit en me disant qu'elle n'aurait pas grand-chose pour comparer. Il ne s'était guère éloigné d'elle, sinon de quelques kilomètres, durant les dix-sept premières années de sa vie. Tout au plus une dizaine à vol d'oiseau lorsqu'elle atteignait l'endroit le plus reculé de sa tournée, et encore cela dépendait de là où se trouvait Daniel. Disons douze si l'on prend en compte la profondeur, durant les trois mois où il travailla de nuit à la mine de Shipp Mountain après avoir obtenu son diplôme au lycée technique de Bluefield. Puis, à l'automne, il partit pour Benning – il n'était jamais allé aussi loin de chez lui. De là il lui avait écrit quelques petits mots avant l'extinction des feux, lui racontant l'effet que lui faisait la terre rouge, et le plaisir qu'il avait à dormir sous les étoiles de Géorgie qui brillaient à perte de vue, et, lorsqu'il en avait le temps, prenant la peine de lui promettre que tout allait bien : le genre de promesse que les garçons comme moi et Daniel finissent toujours par faire à leur famille, autant pour se rassurer eux-mêmes que pour rassurer les leurs. Il avait passé le reste de sa vie avec moi. Dix mois, plus ou moins, depuis ce jour dans le New Jersey où nous nous étions retrouvés côte à côte dans la formation ; il y avait tant de neige que nos bottes n'avaient émis qu'un léger murmure pendant nos mouvements de pied ferme. Dix mois, plus ou moins, depuis ce jour jusqu'à celui de sa mort. Cela peut sembler court, mais toute mon existence n'a depuis été qu'une digression sur ces jours-là. Et cette période semble à présent suspendue au-dessus de ma tête telle une querelle qui jamais ne s'apaisera.

Je crus à une époque qu'il fallait vieillir avant de mourir. J'ai toujours l'impression qu'il y a quelque chose de vrai là-dedans, parce que Daniel Murphy avait vieilli pendant les dix mois où je le connus. Et c'était peut-être parce que j'avais besoin de trouver un sens à quelque chose que j'avais pris un stylo et que j'avais écrit une lettre à la mère d'un garçon mort, que je l'écrivis en son nom, même si je l'avais fréquenté suffisamment longtemps pour savoir qu'il n'appelait pas sa mère « maman ». J'avais eu le temps d'apprendre plein de choses sur Daniel. Je savais que la neige tombait tôt dans les montagnes d'où il était originaire – en novembre, c'était sûr, et parfois dès le mois d'octobre. Mais je n'appris que plus tard que sa mère avait lu cette lettre alors même que la neige tombait autour d'elle. Qu'elle l'avait posée sur le siège passager de sa vieille Jeep qui avait le volant à droite, et qu'elle avait parcouru tant bien que mal les lacets de sa tournée, laissant des traces fraîches sur le grand manteau blanc qui avait tout recouvert la nuit précédente, puis avait emprunté le long chemin recouvert de gravier qui menait à leur petite maison, à travers le verger de pommiers dont Daniel m'avait si souvent parlé. Je n'appris que plus tard qu'elle n'avait cessé de jeter des coups d'œil furtifs à l'adresse de l'expéditeur. Elle dut regarder cette enveloppe avec une dose de scepticisme inhabituelle pour une postière de zone rurale aussi expérimentée qu'elle, car à chaque fois elle s'était attendue à lire autre chose. Lorsque les roues de sa vieille Jeep se furent enfin arrêtées, et après que la carrosserie massive de 1984 eut glissé un petit dernier mètre sur la neige, elle avait pris la lettre dans ses deux mains et, l'espace d'un instant, avait éprouvé une joie terrifiante.

Il fut un temps où, si vous m'aviez demandé si la neige signifiait quelque chose pour moi, j'aurais répondu « oui ». J'aurais pu voir un signe dans le fait qu'il neigeait le jour où Murph avait fait irruption dans ma vie, et qu'il neigeait encore le jour où je m'introduisis dans celle qu'il venait de perdre. Je n'y aurais peut-être pas cru, mais à regret. C'est charmant de penser que la neige a quelque chose de remarquable. On nous l'a toujours dit. Parmi ces millions et millions de flocons qui tombent, il n'y en a pas deux identiques. Et il en sera ainsi pour l'éternité, amen. J'ai passé du temps à regarder par la fenêtre de ma cabane les flocons tomber telles les plumes d'une colombe abattue en plein vol qui flottent doucement en descendant vers le sol. Pour moi, ils se ressemblent tous.

Je sais que c'était affreux d'écrire cette lettre. Ce que j'ignore, c'est où cet acte se situe sur l'échelle des choses affreuses auxquelles je pense. À un moment donné, je cessai de croire aux signes. L'ordre des choses relevait du fortuit. Je finis par accepter que certains aspects de la vie sont immuables, et que ce n'est pas parce qu'une même chose survient à deux moments différents qu'on a affaire à un putain de miracle. Tout ce que je sais avec certitude, c'est que, quelle que soit la durée de mon existence, et quoi que je fasse durant ce temps-là, ces échelles ne se mettront jamais à niveau. Murph aura toujours dix-huit ans, et il sera toujours mort. Et je vivrai avec une promesse que je n'ai pas pu tenir.

Je n'avais jamais eu l'intention de faire cette promesse. Mais quelque chose se produisit le jour où Murph pivota sur ses talons et se glissa dans le rang de notre formation pour prendre place à côté de moi dans la section, et me regarda. Il souriait. Le soleil se réverbérait sur la neige. Ses yeux étaient bleus. Il avait fermé les paupières. À présent, après toutes ces années, je le revois se tournant vers moi pour parler alors que nous étions au repos, les mains croisées dans le dos, et j'ai l'impression que les mots qu'il prononce tout au fond de ma mémoire pourraient être les plus importants de ma vie. En vérité, rien chez lui n'attirait particulièrement l'attention. Il me dit : « Salut. » Il m'arrivait à l'épaule, donc, lorsque le sergent Sterling, notre nouveau chef fraîchement nommé, entendit le murmure sourd de Murph, il ne le vit même pas. C'est moi qu'il remarqua à la place. Il me fixa du regard, serra les dents, et aboya : « Ferme ta putain de gueule, Bartle. » Il n'y a rien d'autre à dire. Quelque chose s'était produit. J'avais rencontré Murph. Les rangs de la formation se rompirent. Il faisait froid à l'ombre de la caserne.

« Bartle. Murphy. Ramenez vos fesses ici », nous lança le sergent Sterling.

Sterling avait été nommé dans notre unité lorsque nous avions reçu nos ordres de mission. Il avait déjà été en Irak, lors du premier assaut au nord du pays, à la frontière avec le Koweït, et il avait reçu une médaille. Ainsi, même les hauts gradés le considéraient avec admiration. Et si nous le respections, ce n'était pas seulement parce qu'il avait été là-bas. Il était sévère, mais juste, et il y avait une sorte de beauté dans son savoir-faire. Son port n'était que légèrement différent de celui des autres sergents et officiers, mais il avait une façon particulière de bouger le haut du corps de concert avec son fusil durant les exercices de terrain. Il pivotait, avec en toile de fond la neige sur les branches des arbres, et ses jambes le propulsaient en avant jusqu'à ce qu'il s'arrête dans une clairière et s'agenouille. Il enlevait doucement son casque, découvrant ses cheveux blonds coupés en brosse. Ses yeux bleus examinaient les fourrés à la lisière du bois. Et il écoutait, et je regardais, et nous attendions, l'unité tout entière, qu'il prenne une décision. Nous avions confiance en lui lorsqu'il désignait une direction et qu'il nous disait de nous mettre en marche. C'était facile de le suivre où qu'il aille.

Murph et moi rejoignîmes Sterling, et nous tînmes devant lui au repos. « Allez, petit gars, dit-il, je veux que tu colles à Bartle sans le quitter d'une semelle. Tu comprends ? »

Murph me regarda avant de répondre. J'essayai de lui faire signe qu'il fallait dire quelque chose vite, et directement au sergent Sterling. Mais il n'en fit rien, et Sterling lui donna une tape sur la tête, ce qui fit valser son casque par terre où le vent de décembre sculptait les congères.

« Compris, sergent », dis-je, et je traînai Murph en direction de la porte de la caserne, où quelques gars de la deuxième unité étaient en train de fumer. Tandis que nous marchions, Sterling lança dans notre dos, « Il va falloir vous dégourdir, vous deux, vous n'avez rien compris. »

En atteignant la porte, nous nous retournâmes pour le regarder. Il avait les mains sur les hanches, et sa tête était levée vers le ciel, les yeux fermés. La nuit tombait, mais il resta immobile. Il attendait, comme s'il guettait l'ultime ombre qui scellerait l'obscurité.

Murph et moi rejoignîmes notre dortoir à huit lits superposés au deuxième étage de la caserne de notre régiment, et je fermai la porte. Tous les autres se baladaient, parce que nous avions quartier libre. Nous étions seuls. « T'as déjà un lit et un casier ? demandai-je.

– Ouais, dit-il, au bout du couloir.

– Bouge tes affaires, et prends un casier près du mien. »

Il quitta la pièce en traînant les pieds. Tandis que je l'attendais, je réfléchis à ce que j'allais lui dire. Il y avait deux ans que j'étais dans l'armée et cela m'avait été à peu près bénéfique ; j'y avais trouvé une manière de disparaître. Je m'occupais de mes oignons, et je faisais ce qu'on me disait. Personne n'attendait grand-chose de moi, et je ne demandais pour ainsi dire rien en retour. Je n'avais jamais vraiment songé à faire la guerre, mais j'étais sur le point d'y aller, et je m'efforçais encore d'éprouver une urgence digne de la tournure que prenaient les événements. Je me souviens de m'être senti soulagé pendant mes classes, alors que tous les autres avaient la peur au ventre. J'avais compris que je n'aurais plus jamais de décisions à prendre. J'éprouvais un sentiment de liberté, mais cela me rongeait malgré tout, au fond de moi. Je finis par me rendre compte que la liberté ne se résumait pas à une absence de responsabilité.

Murph revint dans la pièce en se dandinant sous le poids de son équipement. Il ressemblait à plus d'un titre à Sterling : les cheveux blonds, les yeux bleus. Mais on eût dit la version ordinaire du sergent. Là où Sterling était grand et finement musclé, Murph était tout le contraire. Non pas qu'il fût gros, mais il semblait par comparaison démesurément petit et trapu. Tandis que la mâchoire de Sterling aurait pu sortir d'un livre de géométrie, les traits de Murph étaient légèrement difformes, en quelque sorte. Tandis que la bouche de Murph souriait facilement, celle de Sterling restait figée. Peut-être ne faisais-je que remarquer une réalité qui existe partout : certaines personnes sont hors du commun, les autres non. Sterling faisait partie de la première catégorie, même si je me rendais compte que, parfois, cela l'irritait. Lors de son arrivée dans notre unité, le capitaine nous le présenta en proclamant : « Le sergent Sterling figurera sur les putains d'affiches de recrutement, messieurs. Souvenez-vous-en. » Lorsque les rangs se rompirent, je passai près d'eux et entendis Sterling dire : « Je ne demanderai jamais à personne de faire ça, capitaine. Jamais. » Et je remarquai, alors qu'il s'éloignait, qu'il ne portait sur son uniforme aucune des médailles que le capitaine avait énumérées avec une envie à peine dissimulée. Mais les guerres ont aussi besoin de garçons ordinaires.

Après avoir aidé Murph à ranger son équipement dans son casier, je m'assis sur un des lits du bas. Murph prit place sur celui en face de moi. Un éclat fluorescent sur les lambris au-dessus de nous éclairait la pièce. Par les fenêtres dépourvues de store, on distinguait dans la pénombre la neige, quelques halos lumineux de lampadaires, et les briques rouges des autres casernes. « Tu viens d'où ? demandai-je.

— Du sud-ouest de la Virginie, dit-il. Et toi ?

— D'un trou paumé à côté de Richmond. »

Ma réponse parut le décevoir. « Merde, dit-il, je savais pas que t'étais de Virginie. »

46

Quelque chose m'agaça dans sa réaction. « Ouais, dis-je d'un air suffisant, on est presque parents. » Je regrettai immédiatement mes paroles. Je ne voulais pas être responsable de lui. Je ne voulais même pas être responsable de moi-même, mais ce n'était pas sa faute. Je commençais à déballer mon équipement. « Qu'est-ce tu branles là-bas dans ta campagne, Murph ? » Je passai une brosse en fer sur toutes les parties métalliques de mes affaires, les petits boutons et les crochets pour passer les lanières, afin d'enlever l'oxydation et le voile terne provoqués par la neige dans laquelle nous nous étions traînés pour nous préparer à combattre dans le désert. Alors que Murph s'apprêtait à répondre, je songeai soudain qu'une chose ne peut être absurde qu'à condition qu'un nombre suffisant de personnes la prenne très au sérieux. Lorsque je le regardai à nouveau, il s'était mis à énumérer sur les doigts de sa petite main droite une série d'événements le concernant. Il n'était pas encore arrivé à son index lorsqu'il s'interrompit, « Ouais, bah c'est tout. Pas grand-chose, en fait. »

Je ne l'avais même pas écouté. Je pouvais voir qu'il était gêné. Il pencha légèrement la tête, se leva pour aller chercher son équipement dans le casier, et se mit à imiter chacun de mes gestes. Nous restâmes seuls un moment. Le faible ronronnement de nos brosses en fer frottant le nylon vert et les petites pièces de métal résonnait dans la pièce. Je compris. Quand on vient d'un endroit où quelques faits suffisent à vous définir, où quelques habitudes constituent une vie, on éprouve une forme de honte à nulle autre pareille. Nous avions eu jusqu'alors des existences étriquées, qui aspiraient à quelque chose de plus substantiel que des routes en terre et des rêves minuscules. Ainsi, nous étions venus ici, où l'on n'avait pas besoin de planifier sa vie et où les autres vous disaient quoi faire. Une fois notre travail terminé, nous nous couchâmes, calmes et libérés de tout regret.

Les jours passèrent. Même si notre hiérarchie tenait secrète la date exacte de notre départ, nous savions que le jour approchait. La guerre était devenue une présence dans nos vies. Nous étions tels de jeunes mariés avant la cérémonie. Nous nous entraînions dans les champs couverts de neige. Nous quittions la caserne le matin, suivions des cours sur les structures sociales et démographiques des villes sans nom pour lesquelles nous allions bientôt nous battre. Lorsque nous quittions les salles de classe à la nuit tombée, le soleil semblait s'être déjà couché presque par accident quelque part à l'ouest, au-delà des barbelés qui délimitaient la base.

Sterling vint nous voir dans notre chambre la semaine précédant notre départ. Nous étions en train de rassembler toutes les affaires dont nous n'aurions pas besoin. Nos supérieurs nous avaient dit que nous aurions bientôt quartier libre et que nos familles pourraient nous rendre une dernière visite avant que notre régiment ne parte. Suite à une demande du sergent Sterling auprès de la hiérarchie, nous avions une journée supplémentaire d'entraînement au champ de tir. Lorsque Sterling pénétra dans la pièce, nous essayâmes mollement de nous mettre au garde-à-vous, mais il nous fit comprendre d'un geste que c'était inutile.

« Asseyez-vous, les gars », dit-il. Murph et moi nous assîmes sur mon lit, et Sterling sur celui en face de nous. Il se massa les tempes.

« Vous avez quel âge, vous deux ?

— Dix-huit ans, répondit Murph à la hâte. Mon anniversaire était la semaine dernière », ajouta-t-il en souriant.

Je fus surpris de me rendre compte qu'il était si jeune, et aussi un peu étonné qu'il ne me l'ait pas dit. J'avais vingt et un ans à l'époque, et dix-huit ans ne m'avait jamais semblé aussi jeune que lorsque je l'entendis prononcer ce chiffre. Je le regardai assis près de moi sur le lit. Il avait un bouton sur le menton, mais sinon il avait la peau lisse. Je compris soudain qu'il ne s'était jamais rasé. Le duvet sur ses joues reluisait d'un éclat blanc sous les panneaux lumineux du plafond. Je m'entendis dire, « Vingt et un. » À présent que je me remémore cette scène, je me rends compte à quel point j'étais jeune moi aussi. Je me souviens de mon corps avant les blessures. Je peux toucher ma joue et l'espace d'un instant me rappeler comme ma peau était nette, puis comme elle a été déchirée avant de cicatriser sous mon œil et de former une sorte d'oued miniature. « Vingt et un », dis-je, et j'eus l'impression d'éprouver pleinement l'œuvre du temps dans mon corps. Mais maintenant, alors que j'ai presque trente ans, et suis suffisamment vieux pour regarder en arrière, je me vois tel que j'étais à l'époque : à peine un homme. Même pas un homme. Je portais la vie en moi, mais elle clapotait tel un fond d'eau dans un verre presque vide.

Désemparés, nous regardâmes Sterling, et il dit, « Putain. » Je sus que lorsqu'il nous confirait son âge, il ne serait pas beaucoup plus vieux. « OK, bon, dit-il, vous êtes mes hommes, les gars.

— Oui, sergent, répondîmes-nous.

— La hiérarchie vient de nous transmettre notre zone d'intervention. Ça va être un putain de bordel de merde. Il faut que vous me promettiez, les gars, de faire ce que je dis.

— OK, pas de problème, sergent.

— Arrêtez vos conneries, soldats. "Pas de problème" ne fait plus partie de notre vocabulaire. Dites-moi que vous ferez ce que je vous dirai. Chaque. Putain. De. Fois. » Il ponctua ses paroles en frappant dans la paume de sa main gauche avec son poing droit.

« On fera ce que vous nous dites de faire, on vous le promet », fis-je.

Il inspira profondément, et sourit. Ses épaules s'affaissèrent légèrement.

« On va où alors, sergent ? demanda Murph.

— Al Tafar. À l'extrême nord, près de la Syrie. Ça pullule de hadjis là-bas. C'est carrément chaud parfois. Je n'étais pas censé vous le dire encore, mais je veux que vous compreniez quelque chose. » Le lit au-dessus de sa tête l'obligeait à se courber. Il finit par avancer et se pencher en avant vers nous. Le carrelage blanc reluisait sous nos pieds.

Murph et moi échangeâmes un regard, et attendîmes qu'il poursuive.

« Des gens vont mourir, dit-il d'une voix monocorde. C'est les statistiques. » Puis il se leva et quitta la pièce.

Je réussis à dormir, mais par intermittence. Je me réveillais de temps à autre et observais le givre qui s'accumulait sur les carreaux. Murph m'interpella avant le lever du jour et me demanda si nous allions nous en sortir. Je continuai de regarder par la fenêtre, même si une fine couche de glace la recouvrait à présent complètement. La pâle clarté orange d'un lampadaire luisait à travers l'opacité. L'air était frais et mordant dans la pièce, et je serrai ma couverture en laine vierge autour de moi. « Ouais, Murph. Ça va aller », dis-je. Mais je n'en croyais pas un mot.

Au matin, nous nous traînâmes jusqu'aux camions de transport de troupes de notre régiment et partîmes pour le champ de tir. La neige s'était transformée en pluie durant la nuit, et nous tirions nos capuches par-dessus nos casques autant que nous le pouvions. Les gouttes froides fouettaient et semblaient sur le point de geler tandis qu'elles glissaient dans le dos de nos vestes. Tout le monde restait silencieux.

Lorsque nous arrivâmes sur le champ de tir, nous nous mîmes en cercle sur la neige grisâtre pour écouter les consignes de sécurité. J'étais fatigué, et j'avais du mal à me concentrer. Les voix des officiers qui nous encadraient aboyaient dans la brume, tel un chœur incapable de chanter à l'unisson. J'observai la pluie tomber sur les feuilles mortes. L'humidité faisait presque scintiller les branches dénudées. Dans l'air pénétrant de l'hiver, nous parvenait le bruit des magasins que les préposés du champ de tir chargeaient dans le dépôt de munitions délabré. La peinture qui s'écaillait sur les murs me rappelait une église de campagne devant laquelle je passais lorsque, enfant, je me rendais à l'école. Le bruit était étrange, mécanique, il bourdonnait dans mes oreilles et bientôt je n'entendis plus un mot de ce que disaient les officiers devant nous. Sterling et Murph avaient pris place dans la file d'attente et attendaient leur tour. Le sergent me regarda fixement, puis prit son fusil dans le creux de son bras et désigna sa montre du doigt. « On t'attend, soldat », dit-il.

Sterling était un instructeur de tir attentif. Murph et moi avions obtenu avec lui nos meilleurs résultats. Le sergent était content de nous, et semblait être de bonne humeur. « Celui qui ne fait pas carton plein est nul », lança-t-il. Nous nous dirigeâmes vers une petite colline qui descendait depuis la ligne de tir. Nous nous détendîmes et nous assîmes à ses pieds tandis qu'il s'allongeait sur le sol sans se soucier de la neige. « Je crois que vous allez peut-être vous en sortir. » Pendant un moment, personne ne prononça le moindre mot. Son approbation nous suffisait. Le soleil était encore haut au-dessus du tertre qui bordait l'extrémité du champ de tir lorsque Murph brisa le silence.

« C'est comment là-bas, sergent ? » demanda-t-il d'un air penaud. Il était assis en tailleur dans la neige, son fusil posé sur ses cuisses, comme s'il berçait une poupée.

Sterling rit. « Putain, quelle question. » Il avait ramassé des pierres et les lançait dans mon casque retourné.

Murph regarda ailleurs.

Le sergent parla avec fermeté. « Ils vont pas surgir et attendre que vous leur tiriez dessus. Souvenez-vous des fondamentaux et vous pourrez faire ce qu'il faut. C'est dur au début, mais c'est simple. N'importe qui peut le faire. Prenez une position stable, soyez sûrs de bien viser, contrôlez votre respiration, et appuyez. Pour certains, c'est difficile après. Mais la plupart veulent y aller le moment venu.

— J'ai du mal à imaginer comment je réagirai, moi », dis-je.

Il marqua une pause. « Tu ferais mieux de le savoir. » Il rit doucement. « Puise au fond de toi. Il faut que tu trouves le méchant en toi. »

J'écoutai le crépitement des fusils sur la ligne de tir. Je vis des oiseaux, surpris par le bruit, s'envoler en faisant tomber la neige des branches sur lesquelles ils étaient perchés. Le soleil était petit et faisait un cercle lumineux dans le ciel. La pluie s'était transformée en une légère bruine sonore.

« Comment on fait ? » demandai-je.

Sterling feignit l'agacement, mais je voyais bien que notre précision au tir le rendait quelque peu indulgent à notre égard. « Ne vous inquiétez pas. Je vous aiderai. »

Il semblait en avoir trop dit, et il se redressa. Mon casque était plein de cailloux.

« Merde, dit Murph.

– Il faut juste s'entraîner à fond. S'entraîner, s'entraîner, s'entraîner », dit Sterling. Il posa sa tête sur le sol et ses pieds sur mon casque.

Murph s'apprêtait à dire quelque chose, mais je posai ma main sur son épaule. « Ouais, compris, sergent », dis-je.

Il se leva et s'étira. Tout le dos de son uniforme était mouillé, mais cela ne parut pas le gêner. « C'est eux qui ont commencé, dit-il, n'oubliez pas ça, eux qui mettent le feu aux poudres, ils devraient s'entretuer au lieu de s'en prendre à nous. »

Je n'étais pas sûr de savoir qui « ils » étaient.

Murph regardait par terre. « Donc... Donc, qu'est-ce qu'on fait ?

– Ne vous inquiétez pas, les filles. Vous, vous tenez la queue. Et tout se passera bien.

– La queue ? répétai-je, interloqué.

– Ouais, répondit-il. Et moi j'enculerai le chien. »

L'écho des tirs cessa. Nous en avions fini avec notre dernier exercice. Nous embarquâmes à nouveau dans les camions, impatients d'avoir quartier libre et de passer du temps avec nos familles. Je pensai à ce qu'avait dit Sterling. Je n'étais pas certain qu'il fût sain d'esprit, mais je savais qu'il était courageux.

Et je sais à présent à quel point c'était vrai. Son courage était très polarisé, mais il était pur. Il relevait d'une sorte d'autosacrifice fondamental dénué de toute idéologie ou de toute logique. Sterling aurait été capable de prendre la place d'un autre garçon sur l'échafaud tout simplement parce qu'il trouvait la corde plus adaptée à son cou.

Puis nous fîmes la fête. Le gymnase de la base fut envahi de banderoles et de tables pliantes. Nos familles observèrent notre formation tandis que le commandant de notre régiment prononçait un discours vibrant et sincère sur le devoir, et que l'aumônier glissait quelques notes humoristiques dans ses sombres récits sur Notre-Seigneur Dieu, et Notre-Sauveur Jésus-Christ. Et nous eûmes droit à des hamburgers avec des frites, et nous fûmes heureux.

J'apportai une assiette à ma mère et m'assis en face d'elle, à quelque distance de la nuée de mères accrochées aux épaules de leurs fils, et de pères qui souriaient machinalement, les mains posées sur les hanches. Elle avait pleuré. Elle se maquillait rarement, mais son mascara avait coulé ce jour-là sous ses yeux. Il avait bavé aussi sur le dos de ses poignets lorsqu'elle avait essuyé ses larmes, assise dans notre vieille Chrysler dorée garée sur le parking de la caserne.

« Je t'avais dit de pas faire ça, John », dit-elle.

Je serrai les mâchoires. J'étais encore suffisamment jeune pour céder aux tics prévisibles de la rébellion. Je les avais pratiqués sans relâche depuis l'âge de douze ans jusqu'au moment où j'avais quitté notre maison, lorsque j'en avais eu assez de toute cette vacuité qui m'entourait et que j'avais appelé le seul et unique taxi qui ait jamais roulé sur notre longue allée en gravier. « Maintenant c'est fait, m'man. »

Elle resta un instant silencieuse et inspira profondément. « OK. Je sais, dit-elle. Désolée. Essayons de nous amuser un peu. » Elle sourit, caressa le dessus de mes mains posées sur la table, et quelques larmes envahirent ses yeux.

Nous passâmes effectivement un bon moment. J'en fus soulagé. La veille de notre séance de tir, j'avais parcouru pendant ma nuit agitée toutes les possibilités qui se présentaient à moi. J'avais abouti à la certitude que j'allais mourir, puis à celle que j'allais vivre, puis que je serais blessé, puis je n'avais plus été certain de rien. J'avais dû me retenir pour ne pas me lever et faire les cent pas sur le carrelage froid, en guettant par la fenêtre un signe quelconque dans la neige ou dans la lumière du lampadaire. J'étais resté sans certitude. Mais la peur de mourir en laissant une mère qui allait devoir enterrer un fils qu'elle croyait en colère avait pris le dessus. La peur qu'on ne lui remette le drapeau soigneusement plié et qu'elle ne me voie disparaître dans la terre brune de Virginie. La peur qu'elle n'ait à entendre les salves d'honneur déchirer l'air et que cela ne lui rappelle la porte que j'avais claquée à dix-huit ans alors qu'elle était dans le jardin derrière la maison en train de cueillir du chèvrefeuille sur la clôture.

Je sortis fumer et dire au revoir à ma mère. Je l'embrassai sur la joue et la force de mon baiser me surprit. « Faut que t'arrêtes la cigarette, dit-elle.

– Je sais, m'man. Je le ferai. » J'écrasai mon mégot avec ma botte. Elle m'enlaça, et je sentis l'odeur de ses cheveux, son parfum, toute ma vie passée à la maison. « Je t'écrirai dès que je peux, d'accord ? »

Elle s'éloigna de quelques pas, leva la main pour me saluer, se détourna et se dirigea vers la voiture. Je me souviens d'avoir suivi du regard ses feux arrière tandis qu'elle quittait le parking. Ils avaient rétréci comme elle longeait le terrain d'entraînement et tournait vers le poste de garde à l'entrée de la base. Puis ils avaient disparu. J'avais allumé une autre cigarette.

La plupart des familles étaient déjà parties. Presque toutes sauf la mère de Murph et celles de quelques autres que je ne connaissais pas. Murph la tenait par la main et ils parcouraient le gymnase, scrutant brièvement chaque petit groupe de personnes encore présent, avant de poursuivre leur chemin. Je compris qu'il me cherchait lorsque Murph se tourna dans ma direction et que je le vis articuler quelque chose à sa mère. Je me levai de ma chaise et attendis qu'ils traversent le terrain de basket où avait eu lieu la fête.

Mme LaDonna Murphy me serra fort dans ses bras. Elle était petite et plutôt frêle quoiqu'un peu marquée par la vie, mais plus jeune que ma mère. Elle m'adressa un large sourire en levant la tête vers moi pour me regarder, les bras encore autour de ma taille. Ses dents étaient légèrement tachées de nicotine. Ses cheveux d'un blond terne étaient attachés en chignon, et elle portait un jean avec une chemise bleue.

« Encore cinq minutes, messieurs », nous lança un des sous-officiers.

Elle relâcha son étreinte, et me dit avec enthousiasme, « Je suis fière de vous, les garçons. Daniel m'a tellement parlé de toi. J'ai l'impression de te connaître déjà.

— Oui, madame, moi aussi.

— Donc vous êtes en train de devenir vraiment copains ? »

Je jetai un œil à Murph, qui haussa les épaules comme pour s'excuser. « Oui, madame, dis-je, on partage la même chambre et tout.

— Eh bien, je veux que tu saches que si vous avez besoin de quoi que ce soit, je m'en occuperai. Vous allez recevoir tous les deux plus de colis que n'importe qui d'autre.

— C'est vraiment gentil, madame Murphy. »

Sterling appela Murph pour qu'il aide un autre soldat à balayer les confettis rouges, blancs et bleus qui recouvraient la ligne des trois points.

« Tu vas me le surveiller, hein ? dit-elle.

— Euh, oui, madame.

— Et Daniel, il fait du bon boulot ?

— Oui, madame, très bon. » Comment voulez-vous que je le sache ? avais-je envie de lui dire. Je connaissais à peine son fils. Arrêtez. Arrêtez de me poser des questions. Je ne veux pas être responsable. Je ne sais rien de tout ça.

« John, promets-moi que tu prendras soin de lui.

– Bien sûr. » Ouais, c'est ça. Maintenant, vous n'avez qu'à me rassurer, moi, et j'irai me coucher.

« Il ne lui arrivera rien, n'est-ce pas ? Promets-moi que tu me le ramèneras à la maison.

– Je vous le promets, dis-je. Je vous promets que je vous le ramènerai. »

Sterling me chopa un peu plus tard alors que je regagnais notre caserne. Il était assis sur le perron, et je m'arrêtai pour fumer une cigarette. « Il fait plutôt bon, ce soir, hein, sergent ? »

Il se leva et se mit à aller et venir. « Je t'ai entendu parler à la mère du soldat Murphy.

– Ah, oui.

– Tu n'aurais pas dû le faire, soldat.

– Quoi ? »

Il s'immobilisa, les mains sur les hanches. « Allez, des promesses, vraiment ? Tu fais des putains de promesses maintenant ?

– J'essayais juste de lui donner un peu de réconfort, sergent, dis-je. C'est pas la fin du monde. »

Soudain, il me jeta à terre et me frappa deux fois au visage, sous l'œil et en pleine bouche. Je sentis mes incisives transpercer ma lèvre supérieure et le sang chaud au goût métallique couler dans ma bouche, qui enfla immédiatement. L'anneau qu'il portait à la main droite avait coupé ma joue, et des filets de sang coulaient le long de mon visage, dans le coin de mon œil, et sur la neige. Il restait au-dessus de moi, les jambes de part et d'autre de mon corps, et me regardait. Il secoua sa main endolorie dans l'air froid. « Dénonce-moi si tu veux. J'en ai rien à foutre. »

Je demeurai allongé dans la neige, à regarder les étoiles qui brillaient suffisamment pour ne pas être masquées par la lumière artificielle des fenêtres des bâtiments et des lampadaires alignés dans l'allée. Je distinguai Orion, le Grand Chien. Lorsque les lumières s'éteignirent dans la caserne, je vis d'autres étoiles, telles qu'elles étaient il y a des millions d'années ou plus. Je me demandai à quoi elles ressemblaient à présent. Je me levai, et me traînai dans les escaliers pour regagner notre chambrée. Murph se redressa, mais les lumières restèrent éteintes. J'enlevai mon uniforme et le balançai dans mon casier, puis me glissai entre les draps soigneusement bordés.

« C'était bien, ce soir », dit-il.

Je ne répondis pas. Je l'entendis se retourner dans son lit. « Ça va ?

— Ouais, ça va. » Je regardai par la fenêtre, à travers la cime des arbres à feuilles persistantes alignés entre les bâtiments. Je savais qu'au moins quelques-unes des étoiles que j'avais vues avaient déjà disparu, s'étaient déjà évanouies dans le néant. J'eus le sentiment de contempler un mensonge. Mais je m'en fichais. Le monde fait de nous tous des menteurs.

# 3

## MARS 2005

*Kaiserslautern, Rhénanie-Palatinat, Allemagne*

Peu après mon départ d'Al Tafar, je commençai à me sentir très bizarre. Je m'en rendis compte la première fois sur l'autoroute entre la base aérienne et Kaiserslautern. Par la vitre du taxi les arbres formaient une tache argentée, mais je distinguais clairement les premiers bourgeons verts se libérant des vestiges de l'hiver. Cela me rappelait la guerre, même si je l'avais laissée derrière moi depuis une semaine seulement. Je n'en avais pas conscience à l'époque, mais mes souvenirs allaient devenir d'autant plus vivaces que je m'éloignerais dans le temps des circonstances dans lesquelles ils avaient vu le jour. À présent, je suppose qu'ils se développaient comme tout organisme vivant. Dans le silence du taxi, les arbres élancés me rappelaient la guerre, et combien, dans le désert, les saisons semblaient absentes, à l'exception de l'automne. Il y avait quelque chose d'angoissant dans l'enchaînement des jours, et la poussière recouvrait tout à Al Tafar, de sorte que même les jacinthes en fleurs devenaient une sorte de rumeur.

Je me disais qu'il serait plus facile d'arriver dans un endroit au climat tempéré, où l'on remarquait le passage de l'hiver au printemps, mais ce ne fut pas le cas. L'air froid et humide du mois de mars en Allemagne agressa ma peau, et lorsque le lieutenant nous informa que nous n'aurions pas de permission même si nous ne partions que le lendemain, qu'il fallait tenir bon, je décidai que j'en méritais une malgré tout.

J'avais marché presque un kilomètre pour passer le portail de sécurité, et trois autres jusqu'à ce qu'apparaisse sur ma gauche une première rangée d'immeubles. Le ciel était moins lumineux, et une fine brume immobile flottait dans l'air. Dans l'avion, le soleil avait semblé invincible, mais à présent il était caché derrière des nuages grisâtres. Je n'avais jamais vu d'immeubles aussi colorés : les murs étaient recouverts d'une épaisse couche de peinture crème et jaune, et décorés dans les tons pastel. Je marchai en direction de la ville, passai devant des cafés faiblement éclairés d'où émanaient d'intenses odeurs de feu de bois, croisai des gens solitaires, les cols de leurs imperméables soigneusement relevés, qui me jaugeaient du coin de l'œil et poursuivaient leur chemin.

Cela me fit du bien de marcher sous la pluie ce jour-là, en longeant les pins et les bouleaux qui se dressaient en ligne vers le ciel, et une sorte de calme me gagna lorsque je croisai les gens de la ville. Je n'aurais pas su dire de quoi il s'agissait à l'époque, mais, en y repensant, je crois que l'absence de conversation me procura un sentiment de paix. Nos regards se croisaient l'espace d'un instant, le son du talon de mes bottes résonnant sur les pavés et entre les murs des ruelles. Ils savaient qui j'étais à ma peau burinée par le soleil, un Américain, pas besoin de lui parler, il ne comprendra pas un mot, et je pensai, Merci, je suis fatigué et je ne sais pas quoi dire. Puis chacun avait déjà passé son chemin, et c'était bon de sentir quelque part en moi que seule nous séparait la barrière de la langue ; pour quelque temps encore, ma solitude n'aurait pas d'autre cause.

J'arrivai sur une place où deux taxis métallisés étaient à l'arrêt. Je toquai à la fenêtre du premier, côté conducteur. Le chauffeur, un homme avec de grands yeux et une petite bouche presque sans lèvres, se redressa. Il baissa sa vitre et pencha sa tête vers moi. J'avais les mains dans les poches avant de mon jean, et je m'inclinai également vers lui. « Kaiser-ville », dis-je doucement. Nous étions très proches, nous touchant presque. Il dit quelque chose que je ne compris pas. « *No sprechen* », dis-je. Il soupira, sourit, me désigna la banquette arrière d'un signe de la main, et je montai à bord.

C'est alors que cela commença, durant le court trajet jusqu'à Kaiserslautern. Nous roulâmes en silence, sans un mot, radio éteinte. J'appuyai ma tête contre la vitre et observai sur le carreau la condensation de ma respiration. Du doigt, je dessinai des lignes sur la buée ; une première, puis une autre, jusqu'à faire un carré, une petite fenêtre dans la grande. Tandis que je regardais les arbres qui se succédaient au bord de la route, mes muscles se crispèrent et je commençai à transpirer. Je savais où je me trouvais : en vadrouille sans permission sur une route d'Allemagne, en attendant de rentrer aux États-Unis. Mais mon corps l'ignorait. Il était au bord d'une autre route, un autre jour. Mes doigts se refermèrent sur un fusil imaginaire. Je leur dis qu'il n'y avait pas de fusil, mais mes doigts ne m'écoutaient pas, et ils continuèrent de se refermer dans le vide, et je continuai de transpirer et mon cœur battait beaucoup plus vite qu'il n'aurait dû.

J'étais censé être heureux, mais je me souviens surtout d'avoir été envahi par une torpeur sourde et lancinante. J'étais très fatigué ; les arbres argentés sur le bas-côté de la route avaient quelque chose de nouveau et d'immuable à la fois qui me réconfortait. Je voulais descendre de voiture et caresser leur écorce. J'étais sûr qu'elle serait lisse, et même si une bruine étrange persistait, je voulais sortir, la sentir sur mon cou et mes mains tannés.

Nous roulâmes ainsi jusqu'en ville, en silence. Mes mains tremblaient encore par intermittence. Il me déposa sur une large avenue. Le soleil flottait à demi caché par la pluie au-dessus des bâtiments aux couleurs pâles. Quelques lampadaires allumés éclairaient faiblement la grisaille de l'après-midi, et après avoir réglé le chauffeur, je me mis à marcher en direction des faubourgs de la ville. Les cercles lumineux qui se dessinaient sur le sol disparaissaient çà et là lorsque le soleil perçait les nuages. Le temps d'atteindre le bout de Turnerstrasse, les réverbères avaient trouvé leur propre rythme. Je traversai leur lumière de façon plus régulière, comme quelque chose de solide à quoi me raccrocher. J'étais sûr que Sterling et les autres trouveraient le moyen de s'échapper de la caserne et d'aller dans les bars pour foutre la merde. J'espérais ne pas les voir, et pas juste parce que je n'avais pas de permission. Le simple fait de penser au sergent fit monter en moi une bile acide et amère, qui me brûla l'arrière-gorge.

Je passai devant une grande cathédrale sur ma droite, et comme l'air devenait froid, je pénétrai à l'intérieur. L'éclairage rappelait la pâle lueur du dehors. Je trouvai un prospectus à l'entrée qui racontait l'histoire de l'église en allemand et en anglais, et je le déployai devant moi pour tenter de me dissimuler. Je me glissai sur un banc au fond du transept. Une classe était en train de visiter, et même si leur guide parlait en allemand j'essayais de suivre tant bien que mal avec mon dépliant.

L'édifice était ancien. Le soleil avait tourné, et ses rayons filtraient à travers les vitraux rouge et bleu sans toutefois atteindre le sol en marbre. Ils semblaient flotter entre l'abside et la nef, très haut sous les voûtes au niveau des chapiteaux richement sculptés. Les piétinements des enfants soulevaient la poussière qui restait étrangement suspendue dans la lumière.

À l'extrémité de l'église, derrière l'autel, un prêtre se préparait pour un office. Je l'observai tandis qu'il rassemblait des bougies et de l'encens et les disposait soigneusement sur une petite table derrière lui.

La guide fit signe à son groupe de s'arrêter. D'un geste, elle désigna sa bouche, puis ses oreilles, puis ses yeux, comme pour embrasser sa voix, son ouïe, et sa vue. Nous ne bougions plus, la guide, les enfants et moi, ce qui attira l'attention du prêtre. Puis les gosses s'éparpillèrent, la plupart gloussant et chahutant tandis que d'autres s'extasiaient devant les portraits des saints dont je lus les noms dans le dépliant. Je tentai de m'imaginer enfant en train de les découvrir.

Il y avait le magnifique Sébastien, la poitrine transpercée de flèches. Le sang coulait de ses plaies – éclaboussures de cire durcies et figées que seules permettent à un homme de rester suspendu à un mur d'église agonisant pendant mille ans. Il y avait Thérèse, gémissant comme une femme qui atteint l'orgasme sous le feu de ses blessures. Et aussi le saint Curé d'Ars, l'insoumis, le soldat qui déserta l'armée de Napoléon pour écouter des confessions vingt heures par jour, et dont le cœur repose à Rome dans une simple boîte en verre, en parfait état sinon qu'il ne bat plus.

Dans l'atmosphère froide de la cathédrale les enfants s'émerveillèrent à nouveau. Leurs souffles s'élevèrent, opaques, telle une voix unique qui resta brièvement suspendue au-dessus de nos têtes, dissimulant l'autel et la lueur rose qui baignait l'édifice, avant de s'évanouir. J'entendis claquer leurs petits talons contre le sol en pierre. Je levai les yeux vers les voûtes, vers les peintures des saints, vers les délicats ornements qui semblaient parcourir l'endroit comme de la vigne vierge sauvage, et je lus, « Tout ce qui ressemble à de l'or est véritablement de l'or. » Je me le dis intérieurement. Puis le répétai à voix haute et baissai les yeux pour poursuivre ma lecture mais il n'y avait rien d'autre. Le dépliant s'achevait sur ces mots.

Pendant ce temps, le prêtre avait quitté l'autel. Je fus surpris de le voir se tenir devant moi, comme je refermai le prospectus. Il était petit, portait des lunettes à monture dorée, et me regardait en souriant bouche fermée, le genre de sourire qui exprime soit l'empathie, soit la condescendance. « Vous ne pouvez pas fumer ici, dit-il.

— Quoi ? Oh. Merde. Pardon. » Je ne m'étais même pas rendu compte que j'avais allumé une cigarette. Le bout incandescent rougeoyait. Je l'écrasai sous ma botte et glissai le mégot dans ma poche.

« Je peux peut-être vous aider ? »

Il devait trouver ma présence étrange. « Non. Je voulais juste visiter. Je suis en permission », mentis-je.

Il désigna le dépliant du doigt. « C'est une histoire intéressante, n'est-ce pas ?

— Ouais. Oui, bégayai-je. C'est clair. »

Il me tendit la main. « Je suis le père Bernard.

— Bartle. Soldat Bartle. »

Il s'assit à l'extrémité du banc, rit doucement, et lissa le devant de son pantalon. « Je suis une sorte de soldat, moi aussi. »

Je marquai une pause. « Ah, oui, dis-je.

– Je peux être honnête avec vous ?

– Bien sûr.

– On dirait que quelque chose vous tracasse.

– Me tracasse ?

– Oui, vous avez l'air accablé.

– Je ne sais pas, moi. Je crois que ça va, pourtant.

– J'ai de l'expérience, vous savez. Nous pourrions parler si vous voulez.

– De quoi ?

– À vous de décider. Je vous écouterai. »

Je remarquai que je ne cessais de faire craquer les doigts de ma main gauche. « Je ne sais pas, mon père. Je ne sais pas comment ça marche, ce truc-là. Je ne suis même pas catholique. »

Il rit. « Il n'y a pas besoin d'être catholique. J'ai fait le vœu d'écouter ce que les gens ne peuvent pas dire aux autres, c'est tout. »

À force de gratter j'avais rayé le vernis du banc à côté de moi. « C'est sûrement bien. Ce que vous faites, je veux dire.

– Il y a un vieil adage pour les situations comme celles-ci.

– C'est quoi ?

– Les secrets que l'on garde pour soi sont les plus lourds à porter.

– Il y a des adages pour tout, non ?

– C'est vrai. » Il sourit à nouveau.

Je réfléchis pendant un instant. « Vous voulez dire que je devrais me confesser, c'est ça ?

70

— Enfin, pas forcément... juste parler.

— J'ai fait une erreur, c'est tout.

— Tout le monde en fait.

— Nan. Pas tout le monde. Pas vraiment. »

Les enfants et leur guide avaient quitté la cathédrale. Il faisait sombre à présent dans la faible lumière des bougies, des lampes et des vitraux.

Je m'appuyai contre le dossier du banc, et il resta légèrement à distance. Je songeai à quel point il était étrange d'être ici, dans les lueurs vacillantes, le froid et l'humidité. Je me sentis étranger, profondément, terriblement étranger. J'eus envie de m'enfuir en courant, mais je demeurai immobile.

Un silence gêné s'installa entre nous. « Merci, mon père, mais il faut que j'y aille. Si je ne rentre pas tout de suite, je vais vivre un enfer. Enfin, vous voyez ce que je veux dire. » Je fis demi-tour et remontai le transept en direction des lourdes portes en bois à l'entrée de la cathédrale. Seul résonnait le bruit de mes pas lorsque le prêtre lança : « Voulez-vous que je prie pour vous ? »

Je réfléchis, et regardai autour de moi. C'était un lieu magnifique. Le plus beau que j'avais vu depuis longtemps. Mais il était d'une beauté triste, comme celle de toutes les choses créées pour masquer la laideur qui est leur raison d'être. Je sortis le dépliant de ma poche. L'histoire entière du lieu y était inscrite, trois pages pour un millier d'années. Quelque pauvre imbécile avait eu à décider de ce qui valait la peine d'être retenu, et avait dû le présenter proprement pour les visiteurs curieux. Je maîtrisais chaque jour de moins en moins ma propre histoire. J'imagine que j'aurais pu faire un effort. J'aurais dû facilement pouvoir la retracer : il s'est passé ceci, j'étais là, ensuite il s'est produit cela, ce qui a inévitablement mené au moment présent. J'aurais pu prendre une poignée de terre dans la rue, de la cire de bougie sur l'autel, de la cendre dans l'encensoir ; j'aurais pu serrer tout cela dans mon poing dans l'espoir d'en extraire quelque chose d'essentiel, qui aurait donné du sens à cet endroit, ou à ce moment. Je n'en fis rien. Je n'avais plus aucune certitude. Je n'aurais fait que me salir les mains, rien de plus. Je compris, tandis que je me tenais là dans cette église, qu'il y avait une différence notoire entre ce dont on se souvient, ce que l'on dit, et ce qui est vrai. Et je ne croyais pas être en mesure de faire un jour la distinction.

« Non, merci. Ça va aller. » J'appréciai le geste, mais le prêtre ne faisait que son devoir, et en conséquence cela me semblait absurde, comme tous les gestes en fin de compte.

« Pour un ami, peut-être ?

— J'avais un ami. J'ai un ami pour lequel vous pouvez prier.

— Qui est-ce ? demanda le prêtre.

— Daniel Murphy. Mon frère d'armes. Il a été tué à Al Tafar. Il est mort... » Je regardai les tableaux des saints accrochés aux murs. « Peu importe. » La cathédrale était à présent plongée dans la pénombre ; seuls quelques halos luisaient autour des bougies et des lampes.

Pourtant, Murph était là, flottant dans un méandre du Tigre, passant dans l'ombre de la butte où Jonas était enterré ; ses yeux n'étaient plus que des trous pleins d'eau, les poissons ayant déjà commencé à grignoter sa chair. Je me sentis obligé de me souvenir de lui précisément, car la mémoire est porteuse de sens, et personne d'autre ne saurait jamais ce qui s'était passé, peut-être pas moi-même. Je n'y arrive toujours pas vraiment. Lorsque j'essaie de m'en rappeler dans le détail, je n'y parviens pas. Lorsque j'essaie d'oublier, le souvenir revient d'autant plus vite et avec d'autant plus de force. Sans trêve. Et alors ? J'ai ce que je mérite.

« Et pour quoi devrais-je prier ? » demanda-t-il.

Je repensai à Sterling. « Qu'ils aillent se faire foutre », murmurai-je entre mes dents. Je me retournai vers le prêtre. « Merci, mon père. Vous pouvez prier pour ce que vous voulez, j'imagine... tout ce qui ne vous semblera pas être une perte de temps. »

Je sortis dans les rues pavées tête baissée. Je suis sûr que les gens me remarquèrent, car j'entendis quelques réactions d'étonnement tandis que je marchais, mais je ne levai pas les yeux. Je n'en éprouvais pas le besoin. Je n'avais plus aucun lien avec les autres.

J'errai jusqu'à ce que j'aperçoive la lueur d'une lampe à travers un rideau rouge aux abords de la ville. De la musique et des voix féminines me parvenaient par l'entrebâillement de la fenêtre. Je n'avais pas cherché cet endroit, mais je me souvins qu'un éclaireur à Al Tafar m'avait écrit l'adresse sur un bout de paquet de cigarettes déchiré. « C'est le meilleur endroit de l'histoire pour tremper ton biscuit, je te jure », m'avait-il assuré. Peut-être avais-je eu l'intention depuis le début de venir ici. Je voulais quelque chose, quelque chose de différent, mais j'avais du mal à croire qu'il s'agissait de tremper mon putain de biscuit. J'allumai une cigarette et restai devant le bâtiment durant quelques minutes. La pluie continuait de tomber légère, sur la ville, et j'étais presque trempé. Même ma cigarette était humide. Elle se consumait mal et je dus tirer de grosses bouffées pour qu'elle ne s'éteigne pas.

J'aurais certainement pu passer du bon temps à l'intérieur, mais la foule avait déjà commencé à me rendre nerveux. Si seulement Murph était ici, songeai-je. Mais Murph n'était pas là. Il ne le serait jamais. J'étais seul.

Si les choses s'étaient passées un peu différemment à Al Tafar, cela aurait pu être le cas. Mais elles se sont produites comme elles se sont produites, même si nous aurions voulu qu'elles se déroulent autrement. Malgré l'instinct ancestral de trouver une explication plus complexe, quelque chose de plus profond qui pourrait répondre à la confusion que j'éprouvais, c'était vraiment aussi simple que cela.

Murph lui-même me l'avait dit, alors que nous nous tenions devant un champ recouvert de corps abîmés et blafards éparpillés au soleil telles des branches mortes. « Si c'est pas interdit, c'est obligatoire », avait-il marmonné entre ses dents. Il ne parlait à personne en particulier ce jour-là. Il ne parlait d'ailleurs presque plus, donc je l'écoutai attentivement lorsqu'il ouvrit la bouche. J'ai souvent pensé depuis ce jour-là à ce qu'il avait voulu dire, et il a fallu que je me trouve devant cette maison, avec cette lumière filtrant à travers ce rideau, pour comprendre. Les gens ont toujours fait ça, pensai-je. Ils ont toujours cherché à contourner la vérité : un avenir incertain, un destin absent, pas de main tendue dans nos existences, juste ce qui se produit, et nous qui regardons. Je le savais, mais cela ne me suffisait pas, et je m'acharnais à trouver un sens, comme ils l'avaient peut-être fait ici en Allemagne voici bien des années, cherchant une logique dans tous les événements qui s'étaient produits, couvrant leurs visages avec de la cendre et des baies qu'ils avaient ramassées dans les vallées après le dégel du printemps, se tenant au-dessus des corps de garçons, de femmes ou de vieillards couverts de feuilles et d'herbe prêts à flamber sous les pierres qui maintiendraient leurs corps en place au cas où la chaleur et le crépitement des flammes les tireraient de leur sommeil étrange.

J'étais perdu dans mes pensées lorsque la porte s'ouvrit. Un homme sortit et abaissa fermement son chapeau sur ses yeux. En me voyant, il remonta le col de son manteau, de sorte qu'il ne fut plus qu'une silhouette emmitouflée filant dans la rue. La porte resta entrouverte et je pus voir à l'intérieur. Des femmes riaient et servaient à boire dans un salon. Quelques hommes étaient assis sur des fauteuils élimés, triturant leurs mains en attendant que les filles leur apportent leurs verres et s'asseyent sur leurs genoux. Lorsqu'elles s'approchaient, ils ouvraient grand les bras pour les accueillir. Une bruyante musique de fanfare m'attira à l'intérieur.

Un petit bar de fortune était installé contre le mur du fond. Je m'assis sur l'un des tabourets dont le cuir était déchiré et partait en lambeaux. Une fille derrière le comptoir m'adressa la parole, mais je ne la compris pas. La salle était bruyante ; la fille me dévisagea et je demeurai silencieux. Ses cheveux fins et roux brillaient même dans l'air enfumé. Ils semblaient avoir été lissés, mais n'étaient pas complètement raides sur ses épaules, et j'imaginai des mèches bouclées dansant à chacun de ses mouvements. Elle avait la peau pâle et parsemée de taches de rousseur, et un bleu violacé sous l'œil droit.

« Whisky ? » demandai-je. La douceur et la timidité de ma propre voix m'inquiétèrent. Elle était à peine audible à travers la fumée et la musique, mais la fille m'entendit tout de même. Elle tendit le bras vers une bouteille sur l'étagère la plus haute. Je secouai la tête et lui désignai une autre bouteille, en dessous. « Plus bas », dis-je. Elle me servit un verre, et j'avalai une grosse gorgée qui me brûla le gosier et me chauffa l'estomac. Jamais elle ne me sourit. Je l'observai aller et venir dans la pièce, touchant les bras des hommes d'affaires et des adolescents qui buvaient en attendant qu'une des autres filles s'occupe d'eux. J'imagine que cela ne faisait pas partie de ses obligations ce soir-là, peut-être à cause de son œil au beurre noir, ou à cause d'autre chose.

Pendant longtemps je fus l'unique client au bar. Lorsqu'elle ne me servait pas, elle s'appuyait contre le mur du fond et croisait ses bras diaphanes sur ses petits seins. Elle ne me prêtait guère attention, mais lorsque nos regards se croisaient, ses yeux bleus rougis se détournaient très vite. Après quelques verres de whisky, je lui adressai la parole. « Est-ce que ça va ? » demandai-je. Je commençais à mal articuler.

Elle ne me répondit pas. Elle se contenta de soulever la bouteille et de froncer les sourcils pour voir si je voulais un autre verre.

Un grand brouhaha retentit dans la cage d'escalier. Le sergent Sterling dévalait les marches en rebondissant d'un mur à l'autre. Je n'étais pas vraiment surpris. Je ne pouvais pas être le seul à avoir entendu parler de cet endroit. Il était torse nu, et il saignait un peu au coin de la bouche ; il tenait dans sa main gauche une bouteille d'eau-de-vie transparente. La bouteille étincela dans la lumière froide et jaunâtre des ampoules qui se balançaient au plafond. Lorsqu'il m'aperçut, il sourit de toutes ses dents et hurla, « Soldat Bartle ! » Je manquai de tomber de mon tabouret. D'autres personnes faisaient du bruit à l'étage. Sterling resta stupéfait l'espace d'un instant puis l'expression de son visage alcoolisé se recomposa. Je priai intérieurement pour qu'il fasse demi-tour et retourne à l'étage mais mes prières étaient vaines, toutes, et je le savais. Il descendit les dernières marches et se saisit du tabouret le plus proche de moi. Il soufflait et inspirait bruyamment. Les tatouages sur sa poitrine s'animaient sous l'effet de sa respiration. Il passa son bras autour de mon épaule et me serra vigoureusement. Il affichait toujours un large sourire, et ses yeux exorbités et injectés de sang étaient d'un bleu lavande.

La fille du bar s'était reculée à son arrivée. Il se leva et se pencha par-dessus le comptoir en vacillant. « Pas ce soir ? marmonna-t-il. Hein, salope ? Pas ce soir ? » Il lui empoigna le visage d'une main, la maintenant fermement. Il enfonçait son pouce et son index entre ses mâchoires et des marques d'un rouge profond apparurent sur les joues de la fille. Elle tentait de se libérer et des larmes lui coulaient sur le visage mais elle s'efforçait de garder ses mâchoires fermées et de résister à la pression des mains du sergent.

« Sergent Sterling, bredouillai-je. Vous voulez boire un verre avec moi ? » Il m'avait entendu – un infime tremblement parcourut sa nuque et ses tempes se contractèrent légèrement – mais il ne lâcha pas la fille. J'inspirai profondément l'air vicié et criai, « Allez, p'tite fiotte ! Bois un coup. »

Avant de la libérer, il la poussa et sa tête heurta avec un bruit sourd le mur. Le plâtre se craquela et elle s'élança pour s'échapper mais il lui saisit le bras. « Reviens ici, toi. » Elle sanglotait à présent. Les marques rouges sur ses joues lui dessinaient un sourire de clown triste et son mascara dégoulinait en fines traînées noires sous ses yeux. Sterling se rassit près de moi, me frappa dans le dos et me prit par la peau du cou. « On vit un putain de rêve, soldat », brailla-t-il.

La pièce s'était vidée depuis longtemps. Certains clients étaient montés avec des filles, tandis que d'autres, pour éviter de se retrouver avec une bande d'Américains saouls, s'en étaient allés dans la nuit. L'horloge derrière le bar indiquait deux heures du matin.

« Ça c'est la liberté, héros. » Il rit. « Dieu, ce que c'est bon. »

Le goût chaud et âpre du whisky avait commencé à m'éclaircir l'esprit. Sterling resta assis tranquillement pendant un moment en silence. J'allumai une cigarette. La fumée flotta au-dessus de nos têtes dans la lumière jaune. La fille s'était accroupie contre le mur.

« Hé, tu te souviens de sa tête quand cette hadji s'est fait sauter au mess ?

— La tête de qui ?

— De Murph. Allez, mec. De Murph.

— Pas vraiment, sergent. C'était un jour de merde.

— Putain, cette hadji s'est volatilisée, soldat. Pouf. Plus rien. » Il prit mon cou dans ses mains et serra. « Pouf. Plus rien.

— Ouais.

— Il avait vraiment une drôle de tête.

— Je ne me rappelle pas.

— Je croyais que tu te souvenais de tout. Comme ces surdoués débiles. »

Je tentai de faire diversion et dit en riant, « Vous vous êtes mis minable, sergent.

— Ouais. Mais au moins tu sais comment c'est quand les choses finissent mal.

— Ça c'est sûr. Ouais. Je sais.

— C'est moi qui commande. »

Je ris nerveusement. « Oui, sergent.

— Quand c'est moi qui commande, les choses finissent bien. Je me suis laissé convaincre… On n'a même pas la putain de permission d'être ici. »

Je m'efforçai de changer de sujet, « Qu'est-ce qui vous a fait penser à Murph ?

— Qu'il aille se faire foutre, Murph ! »

Je demeurai silencieux.

« On sait ce qui s'est passé. C'est tout ce qui nous reste. »

Il était ivre. Je ne l'avais jamais vu comme ça : il ne se maîtrisait quasiment plus ; il était morose, presque sentimental à sa façon. J'avais l'impression qu'il allait se libérer de quelque chose, j'ignorais de quoi, mais je préférais ne pas être dans les parages lorsque cela se produirait.

Il planta son doigt sur ma poitrine puis sur la sienne. « Nous, on sait. Toi et moi. On est liés par ça. Ne l'oublie jamais. Je te tiens, soldat Bartle. Je t'envoie en cour martiale quand ça me chante. Tu vois ce que je veux dire ? » Il leva son pouce, le brandit devant mon nez, et poussa délibérément son poing fermé avec force sur ma joue. Puis il baissa sa main et appuya son pouce sur le vernis laqué du comptoir comme s'il écrasait un insecte. « C'est comme ça. Je te tiens. Et sans permission en plus ? C'est trop facile, soldat. »

J'allais être réformé bientôt. Mon engagement de trois ans s'achevait et je devais quitter l'armée à notre retour aux États-Unis. « Vous ne le ferez pas », dis-je. J'étais loin d'être sûr de ce que j'avançais. Je savais Sterling capable de tout. « Je pourrais vous dénoncer aussi. C'est vous qui commandiez, vous vous souvenez ?

– Oh, bougonna-t-il, tout le monde s'en fout de Murph. » Il pouffa de rire en achevant sa phrase. Son souffle me parvint aux lèvres. Tandis qu'il parlait, ses yeux lançaient des éclairs par à-coups mais ses paupières devenaient lourdes. « Personne ne veut en entendre parler, de tout ça. S'ils voulaient savoir, ils demanderaient, non ? Ce n'est pas comme s'il était le seul putain de mort au combat avec des putains de médailles et une putain de mère à laquelle il faudra raconter des bobards. » Il but l'ultime gorgée d'alcool de sa bouteille en la faisant basculer à la renverse. Sa pomme d'Adam remonta dans sa gorge comme il avalait. Soudain il balança contre le mur la bouteille qui heurta violemment la paroi au-dessus de la tête de la fille toujours accroupie mais rebondit sans se briser et tomba par terre.

« On pourrait tout raconter, dis-je, et mettre ça derrière nous. »

Il rit. « Ah ! tu recommences, soldat. C'est tout ce que tu as trouvé, surdoué débile ? »

Je me réveillai à l'étage, couché sur un lit, ou plutôt sur deux matelas empilés l'un sur l'autre. Le papier peint à rayures jaunes était passé et se décollait par endroits. J'entendis de l'eau couler à l'autre bout de la pièce. Par l'entrebâillement de la porte, je distinguai le visage de la fille du bar qui se reflétait dans un miroir sale. Je ne la reconnus pas immédiatement. Elle sortit de la salle de bains dans une robe rose élimée. Sa poitrine, ses bras et ses longues jambes blêmes étaient parsemés de taches de rousseur.

« Il est parti ? » lui demandai-je.

Elle prit un gant de toilette mouillé et le pressa sur mon front. J'avais mal au cœur. « Oui, dit-elle.

— Tu parles anglais ?

— Bien sûr. »

Je n'arrivais pas à identifier son accent. Des traces de piqûres sur les bras. Pas une sainte. Moi non plus. Le bleu sous son œil était devenu d'un noir profond. « Je suis désolé, lui dis-je. J'aurais dû réagir.

— Tu as essayé. C'est toujours ça.

— Est-ce que tu pourrais… », poursuivis-je sans savoir ce que je voulais lui demander.

Elle m'interrompit, « Tu es sérieux ? » Une tristesse indicible envahit son visage, sa lèvre inférieure se mit à trembler, et elle me gifla.

« Non. Pas ça », dis-je, même si une partie de moi en avait envie, pour avoir le contrôle sur quelque chose, ne serait-ce que pendant deux minutes. Mais je me dégoûtai. Je repensai au type qui m'avait donné l'adresse. Il l'avait probablement fait, lui, et était probablement mort. J'imaginai son corps s'affaissant, sa chair pourrissant puis disparaissant, la peau de ses lèvres se craquelant jusqu'à ce qu'il ne reste qu'une fine couche de poussière sur son crâne. Je posai les mains de la fille sur ma nuque et les fis aller et venir sur l'arrière de mon crâne. Je me pliai en deux et attrapai une vieille poubelle métallique dans laquelle je vomis. Elle me frotta le dos, puis s'agenouilla au pied du lit. Je me redressai.

« Vous êtes tous si tristes », dit-elle.

Un curieux pépiement me parvint de la fenêtre et j'aperçus quelques moineaux qui voltigeaient dans la pâle lueur des lampadaires. Ils volaient en cercles, ou bien ils étaient très nombreux ; la nuée entière passait et repassait pour aller se poser sur un toit, ou sur un arbre qui offrait ses branches dénudées, avant que les feuilles et les fleurs ne reprennent leurs droits lorsque l'hiver serait enterré. Nous demeurâmes sans bouger pendant un moment. Je lâchai finalement sa taille fine et la regardai. « Tout le monde est parti ? » demandai-je.

Elle acquiesça.

« Je vais retourner en bas pour dormir si ça ne te dérange pas, d'accord ?

– Oui, bien sûr. »

J'étais encore saoul et j'avais la tête dans le brouillard. Je passai derrière le bar et trouvai une bouteille de whisky. Je m'assis par terre et la sifflai en regardant par la fenêtre. Le soleil se leva au-dessus d'un petit canal de l'autre côté de la rue. J'étais épuisé. J'observai l'étroite bande d'eau et me demandai si elle était froide.

La lumière virait au gris lorsque j'ouvris les yeux. Les lampadaires étaient encore allumés. J'avais un goût amer dans la bouche. J'essayai de reprendre mes esprits. Une douleur lancinante résonnait dans ma tête. Mes mains étaient glacées. J'étais allongé à plat ventre au bord du canal et elles pendaient dans l'eau lisse et immobile que seuls les mouvements de mes doigts faisaient bouger. Je retirai mes mains, m'assis et les frottai l'une contre l'autre pour recouvrer mes sensations. Mon Dieu, quelle heure est-il ? me demandai-je intérieurement. Le bordel était de l'autre côté de la rue. Les femmes se tenaient debout, appuyées contre l'une ou l'autre des colonnes décaties qui soutenaient le porche, telles des cariatides. Elles étaient figées. Je me levai, me tournai dans leur direction mais elles ne cillèrent pas, comme prisonnières d'un tableau vivant.

« Où est la fille ? » lançai-je.

Elles restèrent là pendant un moment, puis elles tournèrent les talons et s'engouffrèrent dans la porte. Le calme régnait à l'intérieur ou du moins semblait régner, et je demeurai devant l'entrée à observer, jusqu'à ce que je réalise que l'aube était sur le point de se lever.

Lorsque je rentrai à la base, le lieutenant était en colère. Il ne hurla pas mais déclara, « Va te laver, Bartle. » Ce que je fis, après quoi j'enfilai un uniforme propre, m'allongeai sur un banc dans le terminal, posai une veste sur mes épaules, et m'endormis. Seuls quelques policiers militaires et officiers étaient encore éveillés.

Je fus tiré du sommeil par un coup sur le côté, puis on me secoua plus fort. Je me retournai, et le sergent Sterling me chuchota, « Je t'ai couvert.

    — Merci, sergent, croassai-je.

    — Ne crois pas pour autant qu'on en a fini, soldat. » Il s'éloigna. Dans la pénombre, dehors, il avait commencé à pleuvoir. Je serai bientôt chez moi, songeai-je, et tout sera fini.

# 4

## SEPTEMBRE 2004

*Al Tafar, province de Ninawa, Irak*

Durant toute la journée, nous nous relayâmes pour monter la garde. Nous dormions deux heures et somnolions une heure supplémentaire derrière nos fusils. Nous ne voyions pas l'ennemi. Nous étions même trop fatigués pour croire apercevoir une silhouette du coin de l'œil. Seule se dressait la ville : un patchwork flou de formes blanches et brunes sous une bande de ciel bleu.

Je me réveillai pour mon quart alors que le soleil descendait dans un oued, se faufilant au-delà du verger, s'écrasant sur les contreforts du désert avant de disparaître. Les feux dans le verger avaient cessé de fumer mais nous ne le remarquâmes, Murph et moi, que lorsque nous entendîmes dans le lointain le léger crépitement des dernières braises. Les ombres des bâtiments s'étiraient par terre et recouvraient tout ; puis la nuit tomba.

Nous étions moins attentifs. Le lieutenant nous avait rarement demandé de fortifier notre position, et, ici, nous ne l'avions pas fait ; nous avions juste posé nos paquetages et nos armes contre les murs en terre qui séparaient ce pâté de maisons du champ dans lequel nous avions combattu durant les dernières nuits. Le lieutenant avait une petite antenne radio et une moustiquaire verte suspendue entre une fenêtre ouverte et un buisson d'aubépine à moitié carbonisé. Nous attendîmes qu'il nous dise quelque chose, mais il avait les pieds posés sur une table pliante et semblait dormir, donc nous le laissâmes se reposer.

Après le repas, un coursier du quartier général de notre bataillon nous donna notre courrier. Il portait d'épaisses lunettes, nous regardait en souriant et prenait grand soin de se pencher derrière chaque mur et chaque arbre, croyant y trouver une bonne couverture pour se dissimuler. Son uniforme était immaculé. Lorsqu'il murmura le nom de Murph, ce dernier le remercia, leva la tête dans ma direction, ouvrit sa lettre, et la lut. Le coursier me tendit un petit paquet, et le sergent Sterling sortit de sa planque, un tas de bûches de poirier qu'une famille depuis longtemps exilée avait disposées là, prêtes à être brûlées durant les froides nuits d'hiver au pied des monts Zagros où il neige parfois.

Sterling demanda au coursier de s'approcher de lui.
« Soldat, aboya-t-il, où est mon courrier ?
— Je ne crois pas que vous en ayez.
— Sergent, grommela-t-il.
— Pardon ?

— Allez, Sterling, lâchez-le, ce garçon », intervint le lieutenant, réveillé à présent. Il interrompit un instant sa conversation radio. Nous n'entendîmes plus que le son de l'émetteur. Le coursier rebroussa chemin en regagnant l'ombre en silence comme s'il flottait au-dessus de la terre battue.

Murph prit une photo dans son casque et la posa sur sa lettre, découvrant les lignes une par une, donnant ainsi à chaque phrase l'attention nécessaire, comme les vieux lisent les notices nécrologiques de leurs amis et mesurent seulement alors l'importance de leur petite existence en se demandant pourquoi diantre ils n'en ont pas pris conscience plus tôt. Il faisait trop sombre pour voir le cliché d'où je me tenais. Je ne me souvenais pas que Murph me l'ait jamais montré. Comment avions-nous pu traverser cette guerre sans que je le voie ? Il s'appuya contre le mur. Les branches de l'aubépine se penchaient sur lui dans la brise légère. Les lueurs rouges du soleil couchant s'étaient évanouies et une dernière nuance de rose clair disparaissait derrière la ville.

« Bonnes nouvelles ? demandai-je.

— Des nouvelles en tout cas, répondit-il.

— Qu'est-ce qui se passe ?

— Ma copine part en fac. Elle pense qu'il serait préférable que… enfin, tu vois ce que je veux dire. »

La radio continuait de grésiller doucement. La voix du lieutenant enveloppait nos chuchotements. « Ce sont de bons gars. Ils seront prêts, mon colonel.

— Elle a un autre mec ? demandai-je.

— Je ne sais pas. Je ne crois pas.

– Ça va ?

– Ouais. Ça n'a pas d'importance, j'imagine.

– T'es sûr ? »

Il ne répondit pas immédiatement à ma question. Je pensai à chez moi, aux cigales qui chantaient dans les pins et aux chênes qui entouraient l'étang derrière la maison de ma mère dans les environs de Richmond. Ce devait être le matin là-bas. L'espace qui séparait nos postes de combat de nos foyers, quel que soit ce que chacun d'entre nous mettait derrière ce mot, disparut soudain et ce fut comme si j'y étais. Je contemplai l'étendue d'eau. Je souris. C'était la fin du mois de novembre. Des nappes d'aiguilles de pin brunies par l'air chaud de Virginie s'étendaient sur la rive telles de vieilles couvertures. Je descendais les quelques marches inégales à l'arrière de la maison tandis que le cercle du soleil pointait au-dessus des plus hauts arbres de la colline. Une intense et limpide lumière jaune semblait sortir directement de terre, de nulle part, de quelque hauteur imaginaire où, enfant, je voyais des champs d'herbe tondue et de chardons flamboyer dans les lueurs de l'aube, jusqu'à ce que la présence du jour les apaise. Ma mère lisait déjà sous le porche et je passais, mes pieds glissant dans les feuilles mortes orange et jaunes avec un son charmant, sans qu'elle me remarque. Mais il faisait trop sombre pour que ma mère me vît la nuit où je ne suis pas rentré juste après m'être engagé. Je me souviens de lui avoir annoncé la nouvelle comme ça. J'essayais de me faufiler dans le jardin derrière la maison à travers le portail de la clôture en bois que mon frère avait installée. Elle m'appelait doucement, sans prendre le temps de respirer, et il me fallut une minute pour l'entendre dans l'ultime chant du soir des grenouilles. Une légère brise s'était levée et avait dispersé les oiseaux qui se rassemblent toujours de l'autre côté du lac, sous les saules pleureurs et les cornouillers, là où la terre est la plus riche. En s'envolant, ils brisèrent du bout de leurs ailes déployées la surface lisse de l'eau qui ondoya, frissonna comme une multitude de cordes pincées ; les lueurs aux fenêtres et les quelques étoiles parsemées dans le ciel telle une poignée de grains de sel semblèrent elles aussi vaciller. Mais je n'étais plus là. Bien avant, j'avais marché dans la pénombre sous les arbres et elle avait dit, connaissant la réponse comme seule une mère en est capable, « Mon Dieu, John, qu'as-tu fait ? » Et j'avais répondu que je m'étais engagé. Elle savait ce que cela signifiait. C'était peu de temps avant mon départ. Je ne me souviens pas d'avoir eu une vie entre ce jour-là et cet instant où j'étais assis au pied d'un mur délimitant un champ à Al Tafar, incapable de rassurer mon ami, qui bientôt allait mourir. Il avait raison. Cela n'avait pas d'importance.

Murph reprit, « C'est juste tellement marrant, tout ça. » Sa lettre était pliée sur ses genoux et il se pencha à la renverse, levant son visage vers les cieux. Avec une expression puérile mais très belle, il observa, entre les fines branches d'aubépine, le voile noir au-dessus de nos têtes et les quelques étoiles qui scintillaient, et parut les relier d'une façon ou d'une autre au ciel sous lequel sa copine se trouvait. Et oui, il avait l'air d'un petit garçon naïf, et c'était très bien, car nous n'étions que des garçons à l'époque. J'eus un élan d'amour pour lui, et encore maintenant, quand je le revois assis sous l'aubépine, triste parce que sa copine l'avait quitté, mais sans colère ni rancune ; et pourtant seules quelques heures s'étaient écoulées depuis la tuerie de la nuit précédente. Il était assis là dans la nuit. Nous parlâmes tels des gosses. Nous nous regardâmes l'un l'autre comme dans un miroir. Je me souviens avec beaucoup de tendresse de lui à cette époque, avant qu'il soit perdu, que la guerre ait totalement raison de lui, et qu'il se contorsionne dans les airs alors que son cœur battait peut-être encore lorsqu'ils ont balancé son corps martyrisé par la fenêtre du minaret.

Je tendis la main et lui fis signe de me montrer la photo. C'était un polaroïd de lui avec sa copine debout sur un chemin de terre. Derrière eux, une montagne, dont le sommet était hors cadre, s'élevait plantée de hêtres, de magnolias, de frênes, d'érables, de tulipiers, et toutes les couleurs des fleurs étaient lumineuses et pures dans les rayons de lumière qui descendaient des cimes. Elle portait une robe de mousseline bleue un peu élimée à travers laquelle se dessinait la silhouette de son corps. Ses cheveux étaient fins et bruns et quelques mèches balayaient ses pommettes roses et saillantes. Elle avait la bouche fermée et ne souriait pas. Elle tenait une de ses mains devant son front comme si la photo avait été prise au moment précis où elle s'apprêtait à écarter des cheveux épars de ses yeux gris et chaleureux.

Murph était à côté d'elle, les mains dans les poches de son jean bleu. Elle avait glissé son autre main au creux de son dos. Vivante. Telle était l'expression de son visage. Jamais je ne l'avais vu comme ça auparavant et jamais plus je ne le vis depuis. Je me persuadai que c'était l'expression de quelqu'un qui savait, mais ce n'était pas possible. Il y avait quelque chose de fugace dans la photo mais je l'ignorais à l'époque. Il souriait à moitié et plissait les yeux dans la lumière. Qu'y avait-il d'éternel dans ce cliché ? Je me demandai si la fille retournerait un jour dans cet endroit. Et si oui, tendrait-elle la main pour le tenir par la taille ?

« Qui l'a prise ? »

Il s'accroupit et glissa une chique de tabac sous sa lèvre inférieure. Un parfum sucré et poivré envahit l'air calme. « Ma mère. Pas l'été dernier mais celui d'avant. On avait seize ans je crois, presque dix-sept. Marie est une fille bien. Je ne peux pas dire que je lui en veuille. Elle est trop intelligente pour rester avec moi. »

Sterling avait écouté notre conversation depuis le début. Il surgit dans la nuit de l'autre côté de l'arbre. « Je la tuerais, cette salope, lança-t-il. Tu ne vas quand même pas te laisser faire, soldat, hein ?

– J'imagine que je n'ai plus rien à dire maintenant, sergent. »

Sterling tenait ses mains sur ses hanches comme s'il attendait que Murph ajoute autre chose, comme si la phrase flottait quelque part hors de sa portée, et il demeurait là, dans l'espoir d'une suite. Murph ne répondit pas. Moi non plus. Nous nous contentâmes de le regarder, appuyés contre le mur. Derrière nous, un lampadaire s'alluma. C'était le seul qui avait survécu à la bataille ; il illumina brièvement la terre lacérée par les obus de mortier et les cadavres éparpillés dans le champ d'à côté. La lumière clignota, et, dans la lueur intermittente, Sterling lui aussi apparaissait et disparaissait. Elle s'éteignit plus longtemps, et Sterling s'éclipsa.

À présent, quand j'y repense, je veux qu'il résiste. Pas comme Sterling le suggérait, mais qu'il ait résisté malgré tout. Je ne pensais pas qu'il aurait dû espérer qu'elle revienne sur sa décision, mais je voulais quelque chose qui aurait pu me permettre de repenser aux événements en me disant, oui, tu t'es battu aussi, oui, tu brûlais de vivre, et l'erreur ou l'accident de la nature qui a entraîné ta mort peut s'expliquer par autre chose que par le simple fait que je n'ai rien vu venir.

Murph me regarda et haussa les épaules. Je lui tendis la photo de Marie ; il retira son casque et le posa entre ses jambes par terre. Il sortit son formulaire des pertes d'un sachet plastique à fermeture hermétique de la doublure de son casque et glissa le cliché derrière. Puis il observa les deux documents dans la lumière chancelante et je déchiffrai les cases du formulaire que Murph avait déjà remplies.

En haut, dans l'endroit prévu à cet effet, Murph avait inscrit son nom : Murphy, Daniel ; son numéro de sécurité sociale ; son grade ; son unité. En dessous, il y avait d'autres cases vides, prêtes à être cochées d'une croix rapide à l'encre en cas de besoin : mort au combat, porté disparu, blessé au combat (légèrement ou gravement). Il y avait aussi des cases pour capturé, hospitalisé, décédé des suites de ses blessures ; et deux séries de cases oui et non, une pour corps retrouvé et une pour corps identifié. Puis un espace était réservé pour les remarques de témoins éventuels, aux signatures du commandement et du personnel médical. Murph avait mis une croix dans la case corps retrouvé. « Au cas où », dit-il lorsqu'il se rendit compte que je l'avais remarqué. Nos deux formulaires étaient déjà signés.

Murph rangea la photo et le formulaire sous la doublure de son casque. J'ouvris mon paquet et en sortis une bouteille de Gold Label qu'un de mes potes de lycée m'avait envoyée. J'agitai doucement le whisky, « Regarde ce qu'on a là. » Il sourit, mit son casque de côté et glissa le long du mur pour se rapprocher de moi. Je lui tendis la bouteille mais il la repoussa d'un signe de la main.

« Non, non, à vous l'honneur, monsieur. »

Nous rîmes tous deux. J'avalai une longue gorgée d'alcool. Une vague de chaleur me monta dans le nez et descendit dans ma gorge et mon estomac. Nous étions tellement hilares que je m'essuyai la bouche du revers de la main pour faire moins de bruit. Murph saisit la bouteille et but à son tour. Pendant un moment, nous oubliâmes notre situation : nous étions deux amis en train de boire sous un arbre, appuyés contre un mur, essayant d'étouffer nos rires pour ne pas nous faire prendre. Murph se retenait tellement que son corps fut secoué de spasmes et que les grenades qu'il portait à la ceinture s'entrechoquèrent doucement. Bientôt tout son attirail cliqueta et il ne cessait de se répéter « Allez, c'est bon » pour se calmer, en s'efforçant d'afficher un visage de marbre. Il retrouva finalement une contenance. Lorsqu'il me rendit la bouteille, il soupira profondément. « Regarde par là. »

Il désignait les collines autour de la ville. De petits feux étaient apparus dans le lointain. Ils brûlaient tel un édredon éventré d'étoiles tombées du ciel. « C'est magnifique », murmurai-je. Je ne savais pas si quelqu'un m'avait entendu, mais d'autres soldats pointèrent leurs doigts dans cette direction.

Nous demeurâmes ainsi pendant un moment. La nuit se rafraîchissait et l'odeur des feux, distincte et dense, traversait l'air comme un vent printanier. Je commençai à me sentir un peu ivre et nous continuâmes à nous passer la bouteille. Nous posâmes nos mentons sur nos bras, nos bras sur le petit mur en terre, et admirâmes les feux que les habitants disséminaient partout sur les collines.

« Toute la ville doit être là-bas », dit Murph, et je pensai à la longue procession d'êtres humains qui avait fui Al Tafar quatre jours plus tôt en voiture ou à pied, et je me dis qu'ils attendaient patiemment que nous partions, que l'ennemi parte, qu'ils reviendraient lorsque les combats cesseraient, balaieraient les douilles sur les toits de leurs maisons, rempliraient des seaux d'eau pour laver le sang séché et cuivré sur le pas de leurs portes.

Les yeux tournés vers les collines et le désert scintillant dans la nuit, nous entendîmes une plainte lointaine.

Il était à peine perceptible, ce bruit. Je l'entends encore parfois. Le son est une chose bizarre, l'odeur aussi. Je ferai un feu au fond de ma cabane tout à l'heure, lorsque le soleil sera couché. La fumée se glissera entre les bûches de pin. Le vent dévalera les flancs de la colline et poursuivra sa course dans le lit de la rivière. Alors, j'entendrai clairement ce son étrange. Je ne savais pas s'il provenait vraiment des femmes autour des feux, si elles étaient en train de se tirer les cheveux en pleurant leurs morts ou non, mais je l'entendais distinctement, et aujourd'hui encore cela me semble impensable de ne pas y prêter attention. Je retirai mon casque, posai mon fusil dessus et pris le temps d'écouter les bruits de la nuit. Il y avait quelque chose là-dehors. Je lançai un coup d'œil à Murph et il me jeta en retour un regard triste et averti. Le lieutenant posa sa radio et s'assit sur sa chaise en frottant d'une main l'étrange marque sur sa joue. Nous tendîmes tous l'oreille un moment en regardant les feux dans les ténèbres. Ma poitrine se serra. Les gémissements indéfinissables qui nous parvenaient, et la façon dont le vent les poussait jusqu'à nous à travers le verger étaient à la fois ordinaires et miraculeux. Plus tard dans la nuit, deux lumières s'intensifièrent dans le lointain, puis deux autres, et encore deux autres. Le lieutenant s'approcha de chacun d'entre nous et dit, « Le colonel veut vous voir, les gars. Préparez-vous. »

Nous posâmes nos armes sur le mur et agrippâmes les garde-mains avec fermeté. Nous éteignîmes nos cigarettes et affirmâmes notre présence dans le silence qui régnait autour de notre petit campement. J'avais le sentiment d'être une caricature de moi-même. Nous étions faussement forts. Lorsque nous parlions, nous nous exprimions vite en chuchotant d'une voix grave.

Les lumières formèrent une ligne plus régulière et nous distinguâmes bientôt des bruits de moteurs. Puis elles s'évanouirent et un nuage de poussière déferla vers nous depuis la route à l'avant de l'immeuble. Le lieutenant parcourait notre ligne de défense en nous lançant, « On se réveille, on se tient à l'affût. »

Deux jeunes sergents apparurent au coin du bâtiment et se positionnèrent aux deux extrémités du mur. Après quoi le colonel arriva, petit, roux, se tenant aussi droit qu'il le pouvait. Il était accompagné d'un journaliste et d'un cameraman. Le lieutenant échangea quelques mots avec lui et ils se retournèrent tous deux vers nous. « Comment va la guerre ce soir, les gars ? » demanda le colonel. Un large sourire éclaira son visage dans la pénombre.

« Ça va », répliqua Sterling avec une morne conviction.

Comme s'il cherchait confirmation, le colonel nous regarda lentement un par un dans les yeux jusqu'à ce que nous lui ayons tous répondu, « Oui, mon colonel, ça va, ce soir. »

Même dans la lumière sporadique, on pouvait voir que son uniforme était neuf. Lorsqu'il s'approcha de nous, il sentait le propre. Il croisa ses bras sur sa poitrine et se mit à parler. Son sourire disparut. Je me demandai l'espace d'une seconde quel était son vrai visage. Il prit finalement un papier qu'il lut, s'assurant avant de commencer de capter l'attention du journaliste, « Vous tournez, là ?

— Allez-y. Faites comme si nous n'étions pas là. »

Le colonel s'éclaircit la gorge, sortit une paire de lunettes de sa poche et les posa sur l'arête de son nez. Un des sergents s'approcha et éclaira avec une petite lampe de poche le bout de papier de son supérieur. « Messieurs, commença-t-il, nous vous demanderons bientôt de livrer au nom du bien un combat d'une grande violence. » Il se balança d'un pied sur l'autre, reposant parfaitement chaque botte là où elle était précédemment, dessinant ainsi une empreinte unique et précise. Le sergent à la lampe piétinait de concert. « Je sais que je n'ai pas besoin de vous dire quel genre d'ennemi vous aurez en face de vous. » Il martelait sa phrase au fur et à mesure que sa capacité à nous motiver s'affirmait, une cadence qui apaisait mon cerveau fatigué. « Ce pays est celui où Jonas est enterré. C'est ici qu'il a imploré la justice de Dieu. » Il poursuivit, « Nous sommes la justice. Maintenant, j'aimerais pouvoir vous dire que nous en reviendrons tous, mais c'est impossible. Certains d'entre vous ne rentreront pas avec nous. » Je fus ému à l'époque, mais, aujourd'hui, je me souviens surtout de la fierté du colonel durant ce discours, de la satisfaction qu'il sembla éprouver à nous parler sans détour, du manque de respect dont il fit preuve envers nous en tant qu'individus. « Si vous devez mourir, sachez que nous vous mettrons à bord du premier coucou pour Dover. Vos familles recevront une distinction au-dessus de toutes les autres. Si ces bâtards veulent se battre, on va leur montrer ce que c'est. » Il marqua une pause. Puis, avec une sentimentalité débordante, « Je ne peux pas vous accompagner, messieurs, poursuivit-il d'une voix teintée de regret, mais je resterai en contact permanent depuis le poste de commandement. Faites-leur vivre un enfer. »

Le lieutenant applaudit en nous incitant à l'imiter. On nous avait dit de faire attention au bruit et à la lumière, mais toutes ces recommandations s'étaient évanouies avec la présence de l'équipe télé et le mauvais numéro à la Patton du colonel. Il était manifestement déçu. J'observai les visages des autres pour essayer de voir leur réaction. Sterling écoutait attentivement, appuyé sur un genou sous les branches d'aubépine. Je fermai les yeux et les petits feux se métamorphosèrent en loupiotes qui vacillaient sous mes paupières closes.

Le colonel fit un geste en direction du lieutenant, bras tendu et main ouverte. « Lieutenant, ils sont à vous.

– Merci, mon colonel. » Il se racla trois fois la gorge. « Bien, les gars, nous serons à cinquante pour cent de sécurité ce soir. Nous allons quitter notre position avant le lever du jour, traverser le terrain à découvert qui est juste là, tant que l'obscurité nous protège encore. » Quelques-uns jettèrent un œil par-dessus leurs épaules en direction de l'étendue aride qui se trouvait entre notre position et la ville elle-même. Il faisait bien trop noir pour y voir quoi que ce fût, mais les images des corps étaient gravées dans la nuit. La puanteur de la mort se détachait nettement des autres odeurs qui nous parvenaient d'Al Tafar : les feux d'ordures, les eaux usées, les forts effluves d'agneau séché, la rivière ; au-dessus de tout cela flottait la pestilence de la pourriture des cadavres. Un bref frisson me saisit les épaules, un rapide tremblement ; j'espérai ne pas marcher dans un de ces gâchis glissants. « Nous allons nous assurer que la voie est libre et suivrons la route qui contourne la ville, en nous servant des bâtiments des faubourgs pour nous couvrir. Lorsque nous atteindrons le verger, nous nous installerons dans ce fossé, ici. » Il pointa son doigt sur une carte faiblement éclairée par un bâton fluorescent vert. Elle représentait une étroite bande de terre creusée devant des immeubles entassés les uns à côté des autres, à environ trente-cinq mètres des premiers arbres du verger. « Des questions ?

— Et après ? » demanda quelqu'un.

Le lieutenant jeta un coup d'œil timide au colonel, se mordit la lèvre et dit, « Ils sont là-bas. On va là-bas. »

Le silence retomba. Nous paraissions tous être en train de mesurer la distance que nous aurions à parcourir au matin. La route tournerait au coin des bâtiments, ici un muret, là une benne à ordures renversée que nous pourrions utiliser pour nous couvrir. Les arbres seraient petits et il faudrait se pencher en pénétrant dans le verger pour passer à travers les branches autrefois chargées de citrons et d'olives ; et ils seraient plantés en rangées bien droites, de sorte que nous pensions avoir une vue dégagée d'un bout à l'autre. Mais le verger était en vérité beaucoup plus étendu que nous ne le croyions. Nous ne le savions pas alors car nous n'y avions pas encore mis les pieds. Il s'étalait sur des dizaines d'hectares entre deux éperais d'herbe rase qui plongeaient vers la ville. Le sol était parfois plat, parfois pentu, et entièrement planté de vieux arbres fruitiers dont les branches avaient déjà été greffées deux ou trois fois.

La voix du colonel capta à nouveau notre attention. « Nous allons balancer des obus de mortier dans ce trou à rats pendant deux heures avant le lever du jour. Ils seront encore en train de déchiqueter ces petits arbres quand vous y arriverez. On compte sur vous, les gars. Le peuple d'Amérique compte sur vous. Vous n'aurez peut-être plus jamais l'occasion de faire quelque chose d'aussi important de toute votre vie. »

Il héla les deux sergents et les journalistes embarqués qui l'accompagnaient, et ils s'éloignèrent du mur pour regagner à vive allure l'avant de l'immeuble. Il demanda au cameraman si la prise de vue était bonne, puis nous entendîmes leurs véhicules démarrer et il n'était plus là.

« Eh ben dis donc, dit Murph.

— Quoi ?

— Tu crois que c'est vraiment la chose la plus importante de notre vie, Bartle ? »

Je soupirai. « J'espère que non. »

Le lieutenant se rassit sur sa chaise. La radio crépitait à nouveau faiblement. Le vent se leva et nous nous tournâmes vers les feux dans les collines. Le lieutenant avait l'air effrayé, fatigué, et, du bout de deux de ses doigts, il frotta la petite marque sur son visage. J'oublie toujours qu'il n'avait que quelques années de plus que nous, vingt-trois, vingt-quatre ans j'imagine. Je ne pris jamais la peine de le lui demander. Il paraissait plus vieux pourtant, comme Sterling, et se comportait en consé-quence, ou peut-être lui octroyions-nous des années supplémentaires parce qu'il avait fait des trucs que nous n'avions pas faits : il s'était saoulé à des fêtes de fac avec des filles suffisamment délurées pour le suivre dans une chambre juste parce qu'elles avaient parié avec des copines ; il avait conduit une voiture neuve.

« Combien de fois avons-nous traversé ce verger, et cette ville, lieutenant ? lui demanda un soldat de la troisième brigade.

– L'armée ?

– Oui, lieutenant.

– Ça fera trois fois en comptant demain matin.

– Toujours à l'automne ?

– Ouais, on dirait qu'on doit se battre pour cette ville tous les ans. »

Je songeai à la guerre de mon grand-père. Au fait qu'ils avaient des destinations et des buts à l'époque. Nous, le lendemain, nous marcherions sous un soleil qui se lèverait à peine à l'est au-dessus des plaines pour retourner dans cette ville qui avait déjà livré bataille : une lente et sanglante parade automnale qui marquerait le changement de saison. Nous les chasserions. Comme nous l'avions toujours fait. Nous les tuerions. Ils nous tireraient dessus, certains d'entre nous perdraient leurs membres, ils fuiraient en courant à travers les collines et les oueds pour se réfugier dans les ruelles poussiéreuses de leurs villages. Et ils reviendraient, et nous recommencerions depuis le début en les saluant tandis qu'ils s'adosseraient aux lampadaires, se tiendraient sous des auvents verts en buvant du thé devant la devanture de leurs boutiques. Nous patrouillerions dans les rues et lancerions des bonbons aux enfants qu'il nous faudrait combattre quelques années plus tard.

« Peut-être que ça va devenir un truc annuel », lança Murph acerbe.

Sterling surgit de l'aubépine derrière laquelle il avait nettoyé et chargé ses armes, et scotché toutes les parties lâches de son équipement afin de ne pas faire de bruit. « Mate un peu ma tenue, mecton », dit-il à Murph. Il sauta dans tous les sens, les mains sur les côtés. Silence. Nous n'entendions que le souffle de ses bottes qui tassaient la poussière fine. « Allez, c'est bon. Bartle, viens ici, s'il te plaît. »

Je m'approchai de Murph et Sterling, et observai ce dernier coller des bouts de gaffeur noir sur les pièces métalliques ou sur ce qui brillait dans l'équipement de Murph ; tout ce qui aurait pu dépasser ou refléter la lueur d'une fenêtre dans la pénombre d'avant l'aube. Murph demeurait immobile, et Sterling ajusta son uniforme avec attention, le visage concentré. Il se mordit la lèvre, fronça les sourcils, et les coins de sa bouche tombèrent imperceptiblement. Lorsqu'il eut fini, il passa ses mains le long du corps de Murph, presque comme s'il le caressait. « Secoue-moi ça pour voir », dit-il.

Murph me regarda et sauta mollement ; rien ne bougea ou n'émit le moindre son.

« À toi, Bartle. »

Sterling récidiva avec moi, tout aussi déterminé. Lorsque je sautai, aucun bruit ne retentit et il tapota mon casque.

« Sergent, demandai-je, vous pensez qu'on va devoir se battre ici tous les ans ?

— Putain, oui, soldat, dit-il. J'y étais déjà la première fois. D'ici quelques années, il faudra carrément acheter sa place pour y assister. » Il gloussa. Il se rendait bien compte que j'étais nerveux. « Ne t'inquiète pas. On va faire ça bien demain, d'accord ? Tu me suis, c'est tout. Tu fais ce que je dis, et on sera de retour à la base avant que t'aies le temps de dire ouf. »

Il nous sourit à tous deux, s'adoucissant quelque peu dans l'étrange lumière du lampadaire. « D'accord, sergent. Oui. On vous suivra jusqu'au bout. »

Nous nous réveillâmes le lendemain matin aux sifflements des obus de mortier qui passaient en arcs de cercle au-dessus de nos têtes pour s'écraser dans le verger. Il faisait encore nuit. Le ciel était d'un noir charbon. Ce qui m'arrivait toujours avant un combat se produisit alors : un sentiment que je n'avais jamais éprouvé avant d'arriver dans le fin fond du désert pour me battre s'empara de moi. Chaque fois que j'avais cette sensation, je cherchais quelque chose qui m'aiderait à comprendre le nœud que j'avais dans l'estomac, qui m'aiderait à apaiser les tremblements gagnant mes cuisses et engourdissant mes doigts moites. Murph parvint presque à décrire ce sentiment une fois. Un journaliste nous avait demandé ce que cela faisait de se battre. Il portait une tenue kaki avec des poches et des lunettes d'aviateur aux verres réfléchissants qui éblouissaient à cent mètres de distance. Nous détestions l'avoir dans nos pattes, mais on nous avait donné l'ordre de faire avec ; ainsi, lorsqu'il s'approcha de notre petit groupe tandis que nous nous reposions à l'ombre d'un grand arbre, en lançant, « Racontez-moi, les gars, comment c'est vraiment. Je veux savoir quel genre d'adrénaline vous ressentez », la plupart d'entre nous l'ignorèrent, quelques-uns lui répondirent d'aller se faire foutre, mais Murph tenta de lui expliquer. « C'est comme un accident de voiture. Tu comprends ? Cet instant entre le moment où tu sais ce qui va se passer et l'impact lui-même. On se sent assez impuissant à vrai dire. Tu vois, tu roules comme d'habitude, et tout à coup c'est là, devant toi, et tu n'as absolument aucun pouvoir. Et tu le sais. La mort, tu vois, ou autre chose, c'est ce qui t'attend. C'est un peu ça, poursuivit-il, comme dans ce quart de seconde dans un accident de voiture, sauf qu'ici ça peut carrément durer des jours. » Il s'interrompit. « Pourquoi tu viens pas avec nous ? On te mettra en première ligne, tu pourras voir. » Sur ce, le journaliste s'éclipsa ; quelque chose dans notre façon de rire lui fit bredouiller trois mots et prendre ses cliques et ses claques. Murph avait raison à propos de ce sentiment, et chaque fois mon corps me disait qu'il n'allait pas tenir. Mais puisque cela perdurait, j'avais décidé de l'ignorer.

« Attention aux bruits et aux lumières à partir de maintenant, les gars », chuchota le lieutenant. J'étais heureux de ne pas être en première ligne. De ne pas être celui qui balancerait sa jambe par-dessus le muret séparant notre position du champ à découvert pour se diriger vers les formes grises de la ville.

Sterling attrapa une petite boîte dans son sac à dos ; nous l'attendions pour que notre brigade se mette en branle à son tour. Il y avait l'image d'une fille avec un parapluie sur le couvercle. Du sel Morton, pensai-je. Il ouvrit la boîte et commença à la secouer au-dessus du sol sous l'aubépine. Je tournai les yeux vers Murph ; il me rendit mon regard interrogateur, et nous nous approchâmes de Sterling. « Euh, sergent, ça va ? » demanda Murph. Sterling dispersait du sel là où nous nous étions installés pour la nuit.

« C'est dans le livre des Juges », dit-il, sans vraiment nous remarquer. Puis il leva les yeux et parut regarder à travers nous jusqu'au bout de la nuit qui, quelque part à l'horizon, s'apprêtait à donner naissance au jour. « Bougez-vous, les gars. C'est juste un truc comme ça. » Nous nous exécutâmes. Derrière nous, Sterling marchait, à peine visible au loin, répandant du sel dans les champs et les ruelles, sur les cadavres et la poussière qui semblait tout recouvrir à Tal Afar. Il en mettait partout où il allait, tout en chantant ou en murmurant d'une voix que nous n'avions jamais entendue avant. Une voix agréable, aimable ; pourtant, même si nous ne parvenions pas à comprendre ce qu'elle disait, elle nous terrifia.

« Je crois bien qu'il perd les pédales, Bart, dit Murph.
– Tu veux aller le lui dire ? » demandai-je.

Les obus de mortier continuaient de tomber. Plusieurs fois par minute, nous sursautions aux bruits des détonations aussi assourdissantes que des timbales qui retentissaient dans le verger. De petits feux brûlaient. La fumée s'élevait entre les feuilles lacérées. Au point du jour, Murph dit, « Je vais voir où en est Sterling. » Il souleva son fusil pour utiliser la loupe de son viseur et observer derrière nous.

« Alors ? »

Il y eut un bref éclair de lumière tandis que les premiers rayons léchaient les contreforts des collines à l'est et glissaient sur les toits et les façades ternes des immeubles. Je regardai en arrière et mis ma main en visière pour essayer de voir clair. Sterling était à peine visible dans la pénombre qui se dissipait. « Alors ? répétai-je, qu'est-ce qu'il fait ? »

La silhouette au loin restait immobile. N'avait-il plus de sel à répandre sur cette petite bande des faubourgs d'Al Tafar ? Nous étions très proches du verger et mes jambes tremblaient encore de peur. « Murph, qu'est-ce qu'il fait ? »

Murph baissa son fusil. Sa bouche était ouverte. Il la ferma, puis parla, « Je ne sais pas, mec. Il porte un putain de corps. » Murph tourna vers moi des yeux écarquillés. « Et il ne sourit plus du tout. »

# 5

## MARS 2005

*Richmond, Virginie*

Tels les draps sales d'un lit défait, les nuages s'étalaient au-dessus de l'Atlantique. Je savais, en les observant, que si l'on avait pu évaluer mon état intérieur, les résultats auraient montré combien mon esprit avait peu d'emprise sur mon cœur. Ce genre de petit arrangement fait partie de l'existence, et bien qu'il soit extrêmement difficile de définir avec précision le cœur, je pouvais au moins dire qu'il se composait de ce qui fusait entre les deux parenthèses qu'étaient le début et la fin de ma guerre : l'ancienne vie disparaissait dans la poussière stagnant au-dessus de Ninawa avant même que je puisse m'en souvenir, qu'elle puisse me manquer, à peine ébauchée et déjà brisée le temps que je parvienne au tréfonds de ma mémoire. Je rentrais chez moi. Même ça, chez moi, j'avais bien du mal à me figurer ce que cela signifiait ; et plus encore à penser au-delà de la dernière enclave du désert, où semblait-il, j'avais laissé la meilleure part de moi-même, un grain de sable parmi d'autres. En fin de compte, la pierre érodée par le temps n'est pas seulement une pierre, c'est aussi le résultat, l'exemple d'une lente érosion, quelque chose où se brisent le vent et les vagues. Ainsi, une part de ceux qui participent à la guerre finit par se déposer comme les alluvions dans un estuaire, ou au fond d'une rivière, dans une ville qui est tout ce dont vous vous souvenez.

Le reste appartient à l'histoire, disent-ils. Foutaises. C'est à l'imagination que cela appartient ou à rien. Les choses doivent se passer ainsi, parce que tout ce qui est créé ou fabriqué dans ce monde peut être anéanti, défait ; les fils d'une corde peuvent être détressés. Et si le navire a besoin de cette corde pour gagner une côte lointaine, eh bien ! il faut trouver un moyen de la reconstituer, ou des noyades seront à déplorer dans les courants qui croiseront nos chemins. Même si, en vérité, il m'a fallu du temps, je l'accepte à présent : les choses sont ce qu'elles sont et elles n'en demandent la permission à personne.

Le pardon est tout à fait différent. On ne peut le comptabiliser, contrairement à ce groupe de garçons assis sur les sièges, les épaules affaissées, à bord d'un avion charter et qu'on ne pleurera pas. Si Dieu avait jeté un œil sur nous durant ce vol retour vers la maison, nous aurions ressemblé à de vieux draps prêts à recouvrir les meubles de milliers de maisons vides.

Je regardai par le hublot pour tenter d'apercevoir l'océan dès que notre avion quitta le tarmac. Une faible vague d'acclamations se dispersa de la cabine des première classe jusqu'à l'arrière de l'appareil où étaient assis les simples soldats. Nos respirations se transformèrent en élans de joie lorsque l'avion s'élança dans les airs. Les officiers et les soldats les plus âgés retournèrent sur leurs confortables sièges, agitèrent leurs mains en vociférant, et nous nous mîmes à crier et à sourire, lentement, comme si nos corps étaient immergés sous l'eau.

L'avion atteignit sa vitesse de croisière. La durée de vol entre l'Allemagne et les États-Unis était relativement courte. L'océan Atlantique constituait le dernier obstacle à franchir avant de rentrer chez nous, au pays de la liberté, de la téléréalité, des centres commerciaux et des phlébites. Je me réveillai la tête appuyée contre le hublot. Je m'étais endormi sans m'en rendre compte. Ma main se tendit pour se refermer sur la crosse d'un fusil absent. Un sous-officier assis à côté de moi, de l'autre côté du couloir, le remarqua et sourit. « Ça m'est arrivé deux fois aujourd'hui », dit-il. Je ne me sentis pas mieux.

Je parcourus des yeux le bataillon éparpillé dans l'appareil. Combien d'entre nous n'étaient pas rentrés ? Murph. Trois spécialistes de la compagnie Bravo qui avaient été tués au mess par un kamikaze. Et quelques autres au fil de l'année. Un de la compagnie de commandement tué par un tir de mortier sur la base opérationnelle avancée. Et un autre que je ne connaissais pas, qui s'était fait buter par un sniper, avais-je entendu dire. Dix autres ? Vingt ?

115

Ceux qui restaient n'étaient plus que des silhouettes qui se dessinaient sur le bleu des sièges et le blanc des petits carrés de couvertures dans lesquelles ils étaient emmitouflés. Ils se raidissaient, grognaient, se tournaient sur leurs sièges classe affaire. Je regardai par le hublot. La nuit n'était pas encore tout à fait tombée, et pourtant mon corps l'avait senti venir quelques heures auparavant. Nous voyagions dans le sens du soleil, échappant ainsi momentanément à l'alternance jour-nuit. J'observai l'océan qui s'étendait sous moi alors que les nuages s'étaient clairsemés. Je me concentrai sur l'étendue de crêtes et de creux, de creux et de crêtes s'inclinant pour se transformer en moutons, comme si se rompait un traité de paix entre toutes ces choses qui s'opposaient les unes aux autres.

Quelques membres du personnel administratif ne cessaient d'activer leurs sonnettes d'appel pour obliger les hôtesses à venir les aider, se penchant vers eux, leurs peaux bronzées libérant ainsi des effluves de lilas et de vanille. Les plus âgées répondaient aux appels sans réfléchir, écartant leurs épaules et découvrant une peau aussi brune que du papier kraft.

Les joyeux lurons durent se fatiguer de leur petit jeu car ils se calmèrent. Seul le vrombissement des moteurs résonnait dans mes oreilles. Je tournai et retournai la même pensée dans ma tête sans pouvoir aller jusqu'au bout, tandis que nous survolions les premières bandes de sable, les premières pierres, les premiers chardons de la côte. Je veux rentrer… Je veux… Je… Soudain la côte devint verte. À l'intérieur des terres, le sol était criblé de flaques bleues et de carrés marron ; les terrains de jeu et les dédales de maisons s'étalaient telles de curieuses reproductions d'eux-mêmes. Et tout était vert. Incroyablement vert. Les arbres semblaient pousser sur chaque mètre carré de terre. Nous étions au printemps et certains d'entre eux étaient en fleurs. De là-haut, même les fleurs étaient vertes. Tout était si vert que j'aurais sauté de l'avion si j'avais pu, pour flotter dans ce verdoiement ne serait-ce que l'espace d'un instant, pour en ressentir la réalité, l'entièreté, l'immensité. Et alors que je songeai à ma descente, que je rêvai à cette ultime bouffée verdoyante avant de me disperser sur la terre, je me souvins du dernier mot – chez moi. Je veux rentrer chez moi.

« Réveillez-vous. Nous y sommes », amorça le lieutenant. Je regardai à travers le hublot et aperçus une bannière qui s'agitait dans le vent, déchirée, à l'extérieur du terminal. Elle nous remerciait pour le service rendu à la patrie et nous souhaitait un bon retour aux États-Unis.

C'était tout. Les portes s'ouvrirent et nous avançâmes tant bien que mal sur la passerelle en direction de l'éclat lumineux de l'aéroport. Il brillait de l'intérieur, et de petites lettres en néon contre les murs et les sols blancs me troublèrent. Mon esprit s'assombrit. Je vis une nation s'ouvrir dans la nuit. Elle se déroulait au-delà des piémonts et des collines jusqu'à la face ouest des Blue Ridge Mountains, où les plaines reposaient doucement dans le crépuscule rose sous les heures accumulées. Entre les deux côtes, une année s'était écoulée, sans moi, comme les verges d'or et les pissenlits surgissant d'un sol rocailleux.

Nous passâmes par une porte spéciale et restâmes dans une lumière froide et artificielle à écouter le ronron des néons. Quelques derniers mots des officiers et des soldats plus âgés et nous serions libérés. L'habituel devenait remarquable, le remarquable ennuyeux, et, par rapport à ce qui se situait entre les deux, je me sentais abattu et perturbé.

Le lieutenant nous donna les consignes de sécurité. Les trucs standard : « Pour finir, ne buvez pas si vous conduisez, et si votre dame vous met en rogne, souvenez-vous... »

Nous répondîmes à l'unisson, « Au lieu d'une branlée, donnez-lui un baiser. » Nous restâmes en formation serrée jusqu'à ce que le premier sergent aboie, « Rompez », mais nous ne nous dispersâmes pas dans toutes les directions d'un seul coup. Non, ce qui restait de notre unité se dissolvait lentement, s'éparpillant à partir du centre telle une flaque d'huile sur l'eau. Il y avait de la confusion dans les yeux des autres soldats. J'en entendis même certains dire, « Bon, qu'est-ce qu'on fait maintenant ? » Cela me traversa également l'esprit, mais j'enfonçai mes ongles dans mes paumes jusqu'à m'écorcher la peau, et je pensai, Non, pas question, carrément pas question, quelque chose d'autre à présent.

Les fantômes des morts occupaient tous les sièges vides des portes devant lesquelles je passais : des garçons déchiquetés par des obus de mortier, des roquettes, des balles, des bombes artisanales, au point que lorsque nous essayions de les transporter au poste médical avancé, leur peau se rétractait, ou leurs membres arrachés tenaient à peine en place, et je me disais qu'ils étaient jeunes, qu'ils avaient des copines chez eux ou des rêves qui, pensaient-ils, donnaient de l'importance à leur vie. Ils avaient eu tort, bien entendu. Vous ne rêvez pas lorsque vous êtes morts. Moi je rêve. Le rêve du vivant, mais ne comptez pas sur moi pour dire merci.

Je trouvai finalement le seul bar ouvert dans le terminal et m'assis sur un tabouret qui semblait juste sorti de l'usine. Tout dans ce bar et dans cet aéroport était neuf et aseptisé. Le carrelage au sol était immaculé, et je me rendis compte que je laissai des empreintes derrière, comme pour m'aider à retrouver mon chemin au retour. Je commandai une bière et posai mon argent sur le comptoir en bois clair et laqué. En y voyant l'étrange reflet de mon visage, je reculai brusquement mon tabouret. Un préposé à l'entretien passa une serpillière le long du chemin carrelé qui allait d'une porte à l'autre, et je bus une longue gorgée de bière. Je jetai un œil aux fines particules de poussière que j'avais laissées par terre.

« Hé, chef », lançai-je.

Il était plus âgé que moi mais pas vieux pour autant. Il poussa sa serpillière vers moi et croisa ses bras sur le manche.

« Je veux pas vous embêter, mais ça vous dérange si je passe un coup de serpillière sur le sol, là ? » Je me levai pour me saisir de la serpillière en marchant sur les traînées que j'avais faites, lorsque je me rendis compte qu'il regardait par terre.

« Pourquoi ? Il n'y a rien sur ce sol, fiston. T'inquiète pas de ça. » Il s'approcha pour me tapoter l'épaule mais je me retournai vers le bar, me saisis de ma bière et l'avalai d'un trait. Je fis un geste au barman et déposai quelques dollars supplémentaires sur ceux que j'avais déjà laissés et qu'il n'avait pas ramassés.

« Désolé. Je pensais juste que... », et ma phrase dut rester en suspens car il ne réagit pas. Je remarquai seulement les franges de la serpillière qui allaient et venaient en arcs de cercle à l'endroit dont je lui avais parlé. Puis l'homme s'éloigna dans le hall en traînant derrière lui son matériel.

Le bar entier miroitait. Même les fenêtres qui donnaient sur la piste reflétaient nos silhouettes à cause de l'étrange lumière jaune qui baignait l'aéroport. Je continuai de boire.

« Tu en viens ou tu y vas ? me demanda le barman.

— J'en viens.

— Laquelle ?

— Irak.

— Tu y retournes après ?

— Je ne pense pas. Mais on ne sait jamais, répondis-je.

— Vous faites bien gaffe à vous là-bas, hein ?

— Ouais. On fait de notre mieux.

— Quel merdier, si tu veux mon avis.

— Quoi ?

— Je ne supporte pas l'idée de vous savoir tous là-bas. »

Je levai ma bière dans sa direction. « Merci.

— On devrait les atomiser, ces bougnoules, et les renvoyer à l'âge de pierre. » Il essuya le comptoir. Je terminai ma bière, posai cinq dollars devant moi et en commandai une autre. Il me servit. « Il faudrait transformer tout ce sable en verre », ajouta-t-il.

Je restai silencieux.

« Il paraît que c'est tous des sauvages là-bas. »

Je levai les yeux vers lui. Il me souriait. « Ouais, mec. C'est à peu près ça. »

Mon vol pour Richmond était l'un des derniers ce soir-là. Les haut-parleurs annoncèrent que l'avion était sur le point d'arriver à la porte d'embarquement. L'argent était toujours sur le comptoir. « Je te dois les bières », dis-je.

Il désigna d'un geste un ruban jaune épinglé au mur entre une photo vingt par vingt-cinq centimètres d'un acteur de série télévisée et une coupure de journal jaunie représentant un homme avec un silure géant étalé sur le capot d'un pick-up Ford rouge à l'aile avant rouillée.

« Qu'est-ce que ça veut dire ?

— C'est pour moi. » Il sourit à nouveau. « C'est le moins que je puisse faire.

— Laisse tomber. Je veux payer. » Je n'avais aucune envie de sourire et de dire merci. Surtout pas de prétendre avoir fait autre chose que survivre.

Il se pencha pour me serrer la main, je ramassai l'argent, le lui tendis, tournai les talons et partis.

Une fois tous les passagers installés dans leurs sièges, le pilote fit une annonce disant combien il était fier de ramener chez lui un héros de l'Amérique. Merde, me dis-je. J'eus droit à quatre whiskys coca gratis et à un peu plus de place pour mes jambes. Puis, tard dans la nuit, tandis que nous survolions la côte Est dans un ciel noir sans étoiles, tandis que d'autres avions transportant d'autres soldats décollaient direction les potes de lycée, les copines de dix-huit ans, les fêtes en plein air et les berges de rivière ou de lac le long desquelles les jeunes garçons déambuleraient pendant des heures après avoir tenu entre leurs mains des épaules parsemées de taches de rousseur, après avoir caressé la peau sous les mèches rousses, blondes ou brunes, et ils croiseraient ces mêmes mains comme pour prier, ou plutôt priant sans même s'en rendre compte, « Mon Dieu, s'il Vous plaît, ne laissez pas le monde m'échapper continuellement », et abandonneront derrière eux les feux éclatants et les rires, les voitures garées en cercles, passant au milieu des phares, trébuchant dans les broussailles et sentant le poing de la solitude se refermer sur un os dans leur poitrine, un des os les plus fins et les plus fragiles que Dieu ait jamais créés ; après tout cela, je tombai dans un sommeil alcoolisé. Je rêvai des lattes de plancher sous le porche de chez ma mère, de la chaleur du soleil qu'elles conservaient bien après le crépuscule ; allongé sur le bois tiède dans l'air frais, je ne songeai plus qu'au chant des grenouilles et des cigales, dans l'espoir de ne plus rêver à quoi que ce fût d'autre.

Puis j'étais arrivé. Je restai assis dehors dans le coin fumeurs, à dénombrer les boulettes de chewing-gum qui émaillaient le bitume, lorsque j'entendis le bruit d'un moteur s'approcher. Je ne levai pas les yeux. Elle dut prendre mon visage dans ses mains pour me sortir de mes pensées.

Elle enfonça ses doigts dans le creux de mes joues et recula de quelques pas. « Oh, John », dit-elle. Elle s'avança à nouveau et m'étreignit la taille. Elle me serra, me frictionna. Elle caressa le revers de mon uniforme et saisit encore mon visage dans ses mains qui étaient un peu plus ridées que dans mon souvenir et dont les os délicats étaient saillants. Y avait-il seulement un an ? Sa poigne était ferme ; cherchait-elle à s'assurer que je n'étais pas une apparition fugace ? Elle me touchait comme si c'était la dernière fois.

Je retirai ses mains de mon visage et les tins l'une contre l'autre devant moi. « Ça va, m'man, dis-je, arrête d'en faire des tonnes. »

Elle se mit à pleurer. Sans gémir ni se plaindre, elle répéta encore et encore mon nom, « Oh, John, oh, John, oh, John, oh, John. » Lorsque j'enlevai à nouveau ses mains de mes joues, elle en libéra une et me gifla violemment sur la bouche. Des larmes jaillirent de mes yeux et je posai ma tête sur sa poitrine. Il fallut que je me baisse pour l'atteindre car elle était petite. Elle me tint dans ses bras, sans cesser de répéter mon nom et elle ajouta, « Oh, John, tu es chez toi maintenant. »

Je ne sais combien de temps nous restâmes ainsi enlacés, mais j'oubliai le bruit des moteurs et des passants, les voix des voyageurs qui me remerciaient à la cantonade en nous voyant. Je n'avais conscience que de ma mère et d'elle seule. J'avais l'impression de retrouver la sécurité originelle du ventre maternel, d'être protégé du monde extérieur dans ses bras qui entouraient mon cou. Je comprenais tout cela sans trop savoir comment. Pourtant lorsqu'elle dit, « Oh, John, tu es chez toi maintenant », je ne la crus pas.

Le trajet sur l'autoroute dans sa vieille Chrysler n'était pas très long. Environ une demi-heure. Durant ce temps, je me surpris à scruter le paysage. Nous passâmes sur le pont construit en hommage aux vétérans de la Seconde Guerre mondiale qui enjambait le James, et je fixai le large lit du fleuve. Le soleil se levait. Une lumière orangée se propageait et dissipait la brume qui flottait au-dessus des eaux et des terres.

Je m'imaginai là-bas. Pas comme je le serais peut-être quelques mois plus tard, en train de nager en longeant les berges sous les branches des noisetiers et des aulnes noirs, mais comme je l'avais été. Je me vis en train de patrouiller à travers champs au bord de l'eau dans la lumière matinale ; j'avais transposé les événements d'un monde dans les contours d'un autre. Je cherchai un endroit où je pourrais me mettre à couvert. Une petite dépression entre un étroit chemin de terre et la rive s'était transformée en ornière où un camion avait dû salement s'enliser après la pluie, et je me dis que cela ferait une très bonne planque jusqu'à ce que des tirs de couverture nous permettent de nous replier.

« Ça va, chéri ? » lança ma mère. Il n'y avait personne dans le champ. En tout cas, moi, je n'y étais pas. Sa voix me fit réagir, et je réintégrai mon propre corps tandis que nous atteignions l'autre côté du pont.

« Ouais, m'man, ça va. »

Je laissai la verdure des arbres et de la végétation le long de l'autoroute et dans les chemins adjacents m'apaiser un peu jusqu'à ce que nous arrivions dans notre allée recouverte de gravier. La pelouse du jardin n'avait pas été tondue depuis longtemps.

« Qu'est-ce que tu veux faire en premier, mon chéri ? demanda-t-elle avec entrain.

– J'aimerais bien prendre une douche et... je ne sais pas, dormir, peut-être. »

Il était presque midi. Nous étions au printemps, et l'étang derrière la maison était paisible. Elle m'aida à porter mon sac militaire à l'intérieur, puis je gagnai ma chambre. « Je prépare le petit-déjeuner, John, avec ce que tu préfères. » Une intense lumière filtrait entre les lamelles en bois des stores. Je les fermai et tirai les rideaux ; éteignis la lampe et actionnai la chaînette du ventilateur au plafond. Le ronronnement des pales couvrait le bruit de moteur des voitures dans la rue et des casseroles qui s'entrechoquaient timidement. Je sentai l'odeur du gras, de l'herbe haute, du propre dans la maison et du cadre en bois du lit. Tout cela comblait un néant. Les bruits, les sons n'étaient là que pour occuper l'espace. Mon corps se raidit dans ce vide que j'appelai encore mon chez-moi.

La chambre était sombre et fraîche. J'étais fatigué. Je pliai ma couverture et la posai sur la table de chevet. J'enlevai ensuite ma chemise, puis suspendis ma ceinture au montant du lit. Je m'assis sur le matelas et me penchai en avant pour délacer ma botte droite, et retirer ma chaussette. Dans la pénombre, ma plaque d'identité militaire, que j'avais enfilée dans les lacets de ma botte gauche, brillait. Je la tripotai et me redressai.

J'étais en train de disparaître. Comme si je m'effaçais au fur et à mesure que je me déshabillais dans cette chambre obscure, par une matinée de printemps, et lorsque j'aurais fini il ne resterait qu'un tas de vêtements soigneusement pliés, et j'irais grossir les statistiques transmises par les actualités télévisées. Je pouvais déjà entendre les titres. « Une autre victime aujourd'hui, annonceraient-ils. Un jeune homme s'est évaporé après être rentré chez lui. » Très bien. Je me penchai à nouveau en avant pour finir de délacer ma botte. Je passai la plaque autour de mon cou et la laissai pendre à côté de celle qui s'y trouvait déjà. J'enlevai ma botte et ma chaussette gauche. Pantalon. Caleçon. Je n'étais plus là. J'ouvris la porte du placard et me tins debout devant le miroir en pied. Mes mains et mon visage avaient la couleur de la rouille. Le reste de mon corps, blanc et amaigri, se réfléchissait, droit, comme de son propre chef. Je soupirai et me glissai entre les draps frais.

Mon esprit et mon corps s'agitaient et s'apaisaient sous le ventilateur. Les bruits de moteurs résonnaient en s'approchant de la maison, puis s'évanouissaient peu à peu dans le lointain. Le sifflement aigu d'un train au-delà des bois retentit également. Le convoi semblait foncer sur mon petit lit, me tomber dessus, comme si j'étais devenu une sorte de masse attirant le bruit du métal et le métal lui-même. Mon pouls battait sous mes paupières. Je soufflai bruyamment chaque fois que la vague sonore déferlait, pour aller se briser sur une autre cible. Je ne me rappelle pas mes rêves, mais Murph était là, Murph et moi et les mêmes fantômes nuit après nuit. Je ne me souviens pas de ce dont je rêvai, mais finalement je m'endormis.

# 6

## SEPTEMBRE 2004

*Al Tafar, province de Ninawa, Irak*

Lorsque nous arrivâmes aux abords du verger, une nuée d'oiseaux s'envola. Ils n'étaient pas là depuis long-temps. Les branches s'agitèrent, libérées de leur poids, et les volatiles décrivirent un cercle dans le ciel strié de rouge, comme pour signaler quelque chose. J'avais peur. Je sentais l'odeur du cuivre et de la vinasse. Le soleil était levé, mais une demi-lune restait suspendue de l'autre côté de l'horizon, traversant le ciel matinal comme dans un livre à tirettes pour enfants.

Nous nous tenions en ligne dans le fossé, les pieds enfoncés dans une boue épaisse jusqu'aux chevilles. À ce moment précis, tout semblait être la conclusion d'une expérience misérable sur l'inévitable. Chaque chose était à sa place, attendant que le temps marque une pause, que l'élan se fige, afin qu'il ne reste que des détritus à dénom-brer. Le monde était aussi fin qu'une feuille de papier. Et le verger constituait le monde, et le verger était l'étape suivante. Mais rien de tout cela n'était vrai. J'avais seulement peur de mourir.

Tout était paisible. Le lieutenant agita les bras d'un côté et de l'autre pour obtenir l'attention des sergents et des caporaux. Puis il balaya l'air d'un geste en direction des arbres et grimpa sur le talus pour sortir du fossé. Nous suivîmes le mouvement. Nous ne distinguions que le bruit de quelque quarante paires de bottes foulant la terre, ni vite ni lentement, et celui de nos respirations qui s'intensifièrent lorsque nous gagnâmes les basses branches des premiers arbres et que nous sentîmes sous nos pieds la souplesse du terrain dans le verger.

Je continuai d'avancer. J'avançai parce que Murph, Sterling, le lieutenant et les autres brigades avançaient et j'étais terrifié à l'idée d'être celui qui s'arrête. Je me penchai pour passer sous les branches et suivre mon unité.

Lorsque les obus de mortier tombèrent, les feuilles, les fruits, les oiseaux s'effilochèrent comme des bouts de corde. Ils gisaient sur le sol en un tas épars ; un enchevêtrement de plumes déchiquetées, de feuilles lacérées et de fruits éventrés. Les rayons du soleil glissaient entre les cimes, scintillant ici et là sur le sang d'oiseau et les citrons.

Les brigades se déployèrent en arc de cercle, chacun courbé comme un petit vieux. Nous posions nos pieds avec attention, à l'affût de mines ou de tout autre signe de la présence ennemie. Personne ne vit d'où les coups de feu arrivèrent. L'espace d'un instant, ils semblèrent venir de très loin entre les arbres, et je me surpris à fixer, stupéfait, les ombres dessinées par la lumière à travers les branches. Lorsque la première rafale fusa à mes oreilles, j'étais encore en train de penser que les seules ombres que j'avais vues jusqu'à présent durant cette guerre étaient celles des façades des immeubles, des antennes, et des silhouettes de nos armes dans les labyrinthes des ruelles. La balle passa si vite que je ne me rendis même pas compte qu'elle expulsait du même coup cette pensée de mon esprit. Ainsi, avant que je puisse réagir, les autres se mirent à faire feu. Je tirai à mon tour, et les chargeurs se vidèrent dans un vacarme assourdissant. Mes tympans se mirent à siffler et tous les sons s'atténuèrent, comme étouffés par un diapason qui se serait mis à vibrer : tout le monde dans le verger parut se draper dans un vœu de silence absolu.

Nous ne distinguâmes donc pas d'où vinrent les tirs. Nous ne vîmes que les feuilles trembler et les petits morceaux de bois et de terre danser autour de nous. Lorsque les premiers tirs cessèrent, nous entendîmes encore en écho les balles déchirer l'air. Je fus frappé d'une sorte de léthargie, craignant que chacun de ces instants ne soit décisif, observant en détail le moindre frémissement de branche et le plus fin rayon de soleil à travers les feuilles. Quelqu'un me tira vers le sol, et je rampai sur les coudes pour m'abriter derrière un bosquet d'arbres flétris.

Très vite, des voix crièrent, « À trois heures, putain, à trois heures ! », et bien que je ne visse personne sur qui tirer, j'appuyai sur la détente, aveuglé par les éclairs qui sortaient du canon de mon fusil. Ce qui ressemblait à une photographie obscène s'anima tandis que les douilles miroitaient en rebondissant contre l'écorce.

Puis le calme revint. Tout le monde était allongé à plat ventre sur la terre malmenée. Nous nous regardions les yeux écarquillés, susurrions des monosyllabes étranglés. Nous nous levâmes pour reprendre notre progression.

Tandis que nous marchions en ligne à travers le verger ravagé, nous entendîmes un son qui venait de l'avant. Au début, on aurait dit des sanglots contenus ; mais de plus près une chèvre qui chevrotait. Nous accélérâmes l'allure comme nous en avions reçu l'ordre, et vîmes l'ennemi étendu là, dans un creux peu profond : deux garçons de seize ans tout au plus, touchés au visage et au torse, avec leurs fusils cabossés au fond du trou. Leur peau avait perdu son brun naturel, et je me demandai si c'était à cause de la lumière vacillante qui filtrait à travers le dais d'arbres en charpie ou à cause de leur sang qui avait coagulé.

Les médecins s'occupaient d'un soldat de la troisième unité allongé par terre, sans chemise, claquant des dents, et bêlant comme un agneau. Il était touché à l'abdomen et agonisait. Nous essayâmes de prêter main-forte, mais les médecins nous maintinrent à distance, donc nous observâmes en murmurant, « Allez, docteur », tandis qu'ils essayaient de lui remettre les entrailles dans le ventre. Ils étaient couverts de sang. Le soldat n'était plus qu'une forme blafarde qui tremblait en délirant. Nous prîmes un peu de distance et nous mîmes en cercle. Ses lèvres d'un violet sombre frémissaient. De la morve lui coulait du nez et des postillons de bave giclaient sur son menton. Je me rendis compte qu'il était immobile depuis un moment. Il était mort. Tout le monde se tut.

« J'ai cru qu'il allait dire quelque chose », fis-je finalement.

Le reste de la compagnie s'écarta. Deux gars de la deuxième unité sortirent du cercle. Murph s'assit, les pieds pendant dans un petit fossé, et nettoya son arme. Quelques-uns acquiescèrent à ma remarque. Devant le corps sans vie, ils baissèrent les yeux, tristes et surpris, et s'éloignèrent sans but.

Sterling écrasa du bout du pied une cigarette près du cadavre, et une étroit filet de fumée s'éleva vers les feuilles en lambeaux avant de disparaître. « Habituellement, ils ne disent rien, lança-t-il. Je n'en ai entendu qu'un parler, une fois. »

Un photographe embarqué prit quelques clichés de la scène : un soldat dans un fossé tenant son fusil, un jeune garçon mort dont le corps n'était pas encore recouvert et dont les yeux fixaient le ciel bleu sans nuages très haut au-dessus des cimes. Je pensais qu'il n'avait vraiment aucun égard pour ce qu'il voyait. À présent je ne crois pas que c'était le cas. Peut-être au contraire avait-il un respect absolu.

« Qu'est-ce qu'il a dit ? demandai-je.

– Qui ? fit Sterling.

– Le soldat qui est mort. Qu'est-ce qu'il a dit ?

– Rien, vraiment. Je lui ai tenu la main. C'était complètement flippant, putain ! Il y avait encore des tirs. J'étais seul avec lui. Peu importe. » Il marqua une pause. « Je ne le connaissais même pas. » Sterling remonta le col de sa veste, ferma les yeux et respira profondément. Il fit un signe de tête au photographe et ils se frayèrent un chemin à travers les débris ; les branches et les fruits éclatés, les morts et les vivants.

« Qu'est-ce qu'il a dit ? » réitérai-je.

Il se retourna. « Bart, n'en fais pas tout un plat. Tu devrais aller voir comment va ton pote et arrêter de penser à ça. »

Je fis demi-tour et vis Murph agenouillé près du corps, les mains appuyées sur ses cuisses. J'aurais pu m'approcher de lui mais je n'en fis rien. Je ne voulais pas. Je ne voulais pas être responsable de quiconque. J'avais assez de moi à m'occuper. Je me désintégrais moi aussi. Comment étais-je censé veiller sur nous deux ?

À cet instant-là je décidai peut-être de ne pas respecter ma promesse ; si j'étais allé le consoler, il n'aurait peut-être pas craqué. Je ne sais pas. Il n'avait pas l'air désespéré, plutôt curieux. Il toucha le corps, lui rajusta le col, et posa la tête du soldat sur ses genoux.

Il fallait que je sache. « Allez, sergent, dites-moi. » Il me regarda. Il était aussi fatigué que moi. Cela me surprit.

« Bon, il pleurait, fit Sterling. Et il arrêtait pas de dire, "Putain, je suis en train de crever, pas vrai ?" Et moi je répondais, "Ouais, je crois." Et il s'est mis à pleurer plus fort. Puis il s'est arrêté et moi j'ai attendu qu'il continue de parler. Comme dans un putain de film, tu vois. »

— Et alors ?

— Il a fait, "Hé, mec, j'ai chié dans mon froc, non ?"
Et il est mort. »

Sterling frappa dans ses mains pour me signaler qu'il
en avait fini avec cette histoire, qu'il la balayait de son
esprit.

Je me détournai, assommé et ébranlé, et vomis tout
ce que j'avais dans le corps. Après quoi, des filets de bile
jaunâtre continuèrent encore de jaillir. Je m'agenouillai
et m'essuyai la bouche. « Putain, mec ! Putain ! » fut
tout ce que je pus prononcer tandis que je crachais dans
le fossé ; puis je tournai les talons et marchai en direction
des cliquetis de l'appareil photo.

Quelques heures plus tard, nous rejoignîmes le reste
de la compagnie. L'unité de réserve sécurisa le périmètre. Nous étions censés dormir même si la journée
n'était pas finie pour nous. Murph et moi nous installâmes dans un trou et essayâmes de fermer l'œil, en
vain.

« Tu sais quoi, Bart ? dit Murph.

— Quoi ?

— Je lui ai piqué sa place, à ce mec, dans la file
d'attente au mess. »

Je regardai autour de moi. « Quel mec ?

— Le mec qu'est mort.

— Oh, dis-je. C'est pas grave. T'en fais pas.

— Je me sens minable.

— Arrête, c'est rien.

— Putain, j'ai l'impression que je deviens dingue. »

Il se tenait la tête entre les mains tout en se frottant les paupières avec ses paumes. « Je suis carrément content de ne pas avoir été à sa place. C'est de la folie, non ?

– Nan. Tu sais ce qui est fou ? C'est de ne pas penser ça. »

Je m'étais dit la même chose : combien j'étais heureux de ne pas m'être pris une balle, combien j'aurais souffert si j'avais été celui étendu là en train de mourir, à regarder les autres qui l'observaient agoniser. Et moi aussi, même si c'est avec tristesse à présent, j'avais songé intérieurement, Dieu merci, il est mort et pas moi. Dieu merci.

J'essayai de remonter le moral de Murph. « On doit en être au moins à neuf cent quatre-vingts, non ?

– Ouais, un truc comme ça », répondit-il.

Rien à faire. C'était une sale petite guerre.

Nous nous remîmes en marche. Une alouette ou un pinson chanta tandis que je plantai mes pieds fatigués dans la poussière. Je regardai par-dessus mes épaules, essayant de me persuader que j'avais avancé et que je continuais de le faire. Le martèlement de mes bottes marquait mon passage. Je poursuivis, avec plus d'assurance, comme à l'entraînement. Je tins mon fusil dans les règles de l'art. Je gagnai en force et en détermination. J'avais feuilleté de gros manuels et seules ces mouvements correspondaient vraiment à ce qu'on nous avait appris.

La ville déserte brûlait encore. Nous l'avions usée jusqu'à la corde avec nos instruments modernes. Les murs tombaient en ruine. De chaudes brises se faufilaient entre les façades effondrées des immeubles, faisant tourbillonner détritus et poussière sur notre passage. Les devantures en bois des échoppes abandonnées sur les marchés étaient encore couvertes de marchandises d'une époque à la fois ancienne et indéfinie. Nous fîmes des pauses pour boire et fumer quand bon nous semblait, et nous nous reposâmes sur des chaises inoccupées, posant nos pieds sur les bureaux vides, car nos semelles ne pouvaient plus offenser les morts.

Nous parcourûmes des ruelles, vîmes les restes de l'ennemi gisant, là où il s'était posté en embuscade, éloignâmes les armes des corps du bout de nos bottes. Rigides et pestilentiels, les cadavres gonflaient sous le soleil dans des positions improbables, certains le dos légèrement décollé du sol, d'autres tordus de façon absurde comme obéissant à des règles géométriques morbides.

Nous traversâmes la ville ; des vallées de béton et de brique criblées de balles dans lesquelles brûlaient encore des voitures délabrées, comme si nous observions la destruction plutôt que de la répandre nous-mêmes. Il n'y avait personne alentour sinon une vieille femme. Je l'apercevais par intermittence, l'espace d'un instant. Avec sa démarche traînante, elle semblait flotter hors de mon champ de vision. Quand nous tournions au coin d'une rue, elle disparaissait au suivant. De sorte que je ne distinguais qu'une silhouette sans forme enveloppée d'un vieux châle s'enfuyant devant moi.

Nous nous arrêtâmes au coin d'une rue. Un cortège de rats traversa la rue en zigzaguant entre les débris.

Sous le nombre, un chien galeux qui mangeait un cadavre dut battre en retraite. Je suivis des yeux l'animal qui filait dans une ruelle, tenant fermement un bras entre ses crocs. Le chien disparut bientôt et le lieutenant leva la main pour faire signe à l'unité de stopper près d'un pont qui enjambait le Tigre et ses rives partiellement boisées, où régnait un calme épuré dans lequel coulaient tranquillement les eaux du fleuve. Un corps gisait de tout son long, au milieu du pont, la tête tranchée reposant sur sa poitrine, telle une poupée russe dépravée.

« Et merde », chuchota le lieutenant.

Quelqu'un lui demanda ce qui se passait. Je vis sur son visage, tandis qu'il regardait à travers ses jumelles, l'expression caractéristique de celui qui comprend à quoi il a affaire.

« Un cadavre piégé », dit-il. Nous nous immobilisâmes. Il était impossible de dire qui était l'homme et comment il était arrivé là ; on n'a jamais assez de temps pour expliquer une tragédie lorsqu'on en est partie prenante. Le chagrin est un mécanisme concret, et nous ne pleurions que ceux que nous connaissions. Ceux qui nous étaient étrangers et qui mouraient à Al Tafar s'intégraient au paysage, comme si quelque chose avait semé dans cette ville des graines qui faisaient sortir de terre, de la poussière, ou des pavés, des corps telles des fleurs après le dégel, desséchées et flétries sous un soleil froid et lumineux.

Un silence interminable s'installa. Groupés, nous observions le corps, ne sachant quoi faire. Le lieutenant se tourna vers nous, mais avant qu'il puisse prononcer le moindre mot, nous fûmes aveuglés, comme si le soleil venait de se décrocher dans le ciel. Nous étions couverts de poussière et sourds avant que le moindre son ne nous parvienne aux oreilles. Je restai allongé sur le sol, sonné ; mes oreilles carillonnaient et bourdonnaient bruyamment et, en levant les yeux, je vis les autres membres de l'unité ramper pour essayer de rassembler leurs affaires. Sterling était plein de poussière noire. Il articula quelque chose, attrapa son fusil, le pointa vers ce qu'il voyait, et tira. Dans les ruelles en dessous de nous, près de la rive et dans l'encadrement des fenêtres au-dessus de nos têtes, nous distinguâmes des canons de fusil et des mains. Le vrombissement dans ma tête devint oppressant. Je ne parvenais pas à entendre les balles qui fusaient, mais je les sentais quand elles transperçaient l'air près de moi. Le combat se déroula sans bruit dans un brouillard confus, comme si nous étions sous l'eau.

Je me déportai sur le côté et me mis à faire feu sur tout ce qui bougeait. Je vis un homme s'écrouler près de la rive en contrebas, au milieu des joncs et des prés verts. À cet instant, je reniai les eaux de mon enfance. Les souvenirs que j'en avais devinrent un luxe inutile, les noms aussi étrangers que ceux de Ninawa : le Tigre ou la baie de Chesapeake, le James ou le Chatt-el-Arab plus au sud, tous appartenaient à quelqu'un d'autre ; peut-être n'avaient-ils jamais vraiment été miens. J'étais un intrus, au mieux un visiteur, et je l'aurais été même chez moi, au point que l'éclat phosphorescent de la baie de Chesapeake dans laquelle j'avais tant eu envie de retourner nager ne faisait que railler mon insignifiance, n'était plus qu'une ruse cruelle de la lumière qui me rappelait les étoiles. Rien d'autre. Je cessai de me languir car j'étais certain qu'une telle vision révélerait que l'univers était en train de disparaître, de se noyer ; si jamais je devais flotter à nouveau là-bas, perdant pieds sur le sol vaseux, je me rendrais peut-être compte que comprendre le monde, et la place qui nous y est réservée, c'est courir à chaque instant le risque de se noyer.

*Noctiluca*, songeai-je, *Ceratium*, tandis que les balles traçantes devenaient visibles dans la lueur incertaine du crépuscule : deux mots appris lors d'une excursion scolaire pour découvrir les cours d'eau de Virginie qui me revenaient à présent à l'esprit alors que je tirai sur l'homme, sans prêter la moindre attention aux étranges liens qui s'établissaient dans ma tête, aux petites décharges électriques qui les faisaient émerger, disparaître, puis émerger à nouveau. Le souvenir fugace d'une jeune fille assise à mes côtés sur un quai me traversa. Retour au crépuscule. Les balles crépitaient et je tirai et tirai encore ; l'homme rampa en s'éloignant de son arme, avant de s'arrêter, et son sang dégoulina dans la rivière tel un ultime jusant, fugitif comme une bioluminescence. Sterling et Murph me rejoignirent et s'assirent près de moi. Nous rechargeâmes nos fusils et vidâmes nos chargeurs sur le corps. Les vêtements s'inondèrent de sang et le liquide ruissela sur la pente de la berge, dans la rivière, jusqu'à épuisement.

« Ça y est, vous y êtes, soldats. Il faut être minutieux, minutieux, c'est comme ça qu'on rentrera à la maison. »

Je cessai de tirer et pris ma tête entre mes mains, gardant mon fusil posé sur mes genoux. J'étais allé jusqu'où je pouvais. Je levai les yeux vers Sterling. Il avait le visage serein. Je me demandai ce qu'il pourrait faire après ça. Non, qu'est-ce que moi je pourrais faire après ça ? Jusqu'où nous emmènerait-il ?

Nous nous regroupâmes. Le comptage des effectifs montra qu'il n'y avait pas de pertes, ni de blessés, à l'exception de quelques tympans perforés à cause de la déflagration. Nous regagnâmes notre position devant le pont et attendîmes les renforts. L'endroit où s'était trouvé le corps était à présent humide. Les restes étaient éparpillés ici et là : de petits morceaux comme des lambeaux de peau, de muscles et de viscères étaient innombrables, nous en trouvâmes même à nos pieds, et des plus gros, tel un bras et un bout de jambe, étaient restés à l'endroit où le corps avait été déposé. Personne ne dit mot mais dans le silence nous reconstituions intérieurement les derniers moments de l'inconnu. Nous l'imaginâmes se débattant, suppliant, implorant Allah de l'épargner, et prenant conscience que rien ne pourrait le sauver quand ils lui tranchèrent la gorge, qu'il perdit son sang, s'étouffa et mourut.

L'homme avait été une arme malgré lui. Ils l'avaient capturé, tué, éviscéré, bourré d'explosifs, et l'avaient fait sauter lorsqu'ils avaient eu la certitude que nous avions compris de quoi il s'agissait, et ils avaient lancé leur attaque. Quand les renforts arrivèrent, ils nous ordonnèrent de nettoyer le pont.

Sterling appela, « Murph, Bartle ! »

Nous prîmes des grappins et tentâmes de crocheter les plus gros morceaux du corps. Nous tirions sur le cordage d'un coup sec jusqu'à ce que nous soyons sûrs qu'il n'y ait plus d'explosifs et donc de danger. Murph lançait l'instrument métallique par-dessus le muret, tirait jusqu'à ce qu'il sente une résistance, et secouait fermement. Puis il me regardait et c'était mon tour. Nous répétâmes l'opération plusieurs fois ; après quoi, un officier sortit de son véhicule et déclara que la voie était libre.

Nous poursuivîmes notre marche à travers la ville. Les gens réapparaissaient par groupes de deux ou trois et s'occupaient d'enterrer les morts. Un muezzin appela à la prière et le soleil se coucha dans un camaïeu de violets et de rouges.

# 7

## AOÛT 2005

*Richmond, Virginie*

Ce printemps-là, je passai des jours à dormir, des semaines durant sans âme qui vive. Je me réveillai au gré des bus scolaires qui s'arrêtaient dans la rue, non loin de la maison, pour embarquer et débarquer des élèves de tous âges. Je devinai l'heure qu'il était en écoutant les différents registres de leurs voix.

Depuis mon retour, mon état s'était beaucoup plus dégradé qu'on aurait pu le supposer. Pour seul exercice, je parcourais tous les après-midi les trois kilomètres qui me séparaient de chez GW's, la supérette de la ville, afin d'aller acheter un pack de bières. J'évitais les routes, choisissant plutôt de suivre la ligne de chemin de fer qui passait près de chez nous, derrière un long talus. Les arbres, qui formaient une voûte au-dessus de ma tête, me faisaient de l'ombre, la lumière filtrant nonchalamment à travers les branches. Les températures avaient grimpé tout au long du printemps, et sous cette charmille naturelle qui longeait la voie, la pénombre était moite. La chaleur atlantique : lourde, infestée de moustiques. Cela n'avait rien à voir avec la fournaise d'Al Tafar, qui avait l'étonnant pouvoir de vous réduire en larmes en une seconde, même si vous y aviez déjà passé des heures à cuire. Non, la chaleur atlantique était d'une certaine façon plus américaine ; elle vous sautait dessus dès que vous mettiez le pied dehors. Votre souffle se réchauffait de manière insupportable et vous aviez l'impression de devoir la fendre comme si vous étiez un nageur pénétrant dans l'eau.

Parfois, lorsque j'arrivais chez GW's, j'attendais à la lisière des bois que l'aile rouillée d'un vieux pick-up, ou de n'importe quel autre véhicule garé devant, disparaisse au tournant de la route ; je me dirigeais alors vers la double porte d'entrée, traversant la poussière laissée dans le sillage de la voiture. Je ne parviens pas vraiment à m'expliquer le sentiment qui m'habitait à ce moment-là. La honte, j'imagine. Mais ce n'était pas tout. Il y avait quelque chose de plus spécifique que cela. Tout le monde peut ressentir de la honte. Je me souviens comme j'étais assis par terre dans les broussailles, terrorisé à l'idée de devoir montrer ce que j'étais devenu. Pourtant, personne ne me connaissait vraiment dans ce coin, mais j'avais l'impression que si je rencontrais qui que ce fût, il devinerait ma déchéance et me jugerait instantanément. Rien ne vous exclut plus que d'avoir une histoire singulière. Du moins, c'est ce que je croyais. À présent, je sais : toutes les douleurs sont identiques. Seules changent les circonstances.

Lorsque je rentrais à la maison, la chemise trempée de sueur et striée de sel, je mettais les bières dans mon placard, et me rendais dans la cuisine, où je restais un long moment à regarder par la fenêtre la brume s'élevant de l'étang. Je refusais de produire davantage de preuves de mon existence que les empreintes humides et éphémères que je laissais sur le sol de la modeste cuisine de ma mère. J'observais la rue, les rails, les bois, au-delà le comté, et ainsi de suite jusqu'à ce que tout se dissolve en quelque chose de plus vaste : la maison de ma mère devenait toutes les maisons du monde, perchée au sommet du versant sud d'une large vallée, suffisamment proche des montagnes pour qu'un ours brun égaré erre tous les deux ou trois ans dans ce qu'il restait de forêt à cette altitude, et suffisamment proche de l'océan pour que les premiers colons anglais s'y arrêtent, décrétant que la géographie de l'endroit leur permettait d'affirmer, « Nous sommes perdus ; et par conséquent nous sommes chez nous. » Suffisamment proche aussi pour que les autres gamins se moquent de moi quand j'étais gosse, prétendant que si j'inspirais assez fort je pourrais sentir l'odeur du sel de mer ; et moi, crédule comme je l'étais, je m'étais tenu au beau milieu des lampadaires et des mouettes sur le parking du supermarché et avais pleuré lorsque je m'étais rendu compte que c'était vrai, même s'ils avaient cru mentir, comme le font parfois les enfants.

La maison elle-même surplombait un des nombreux étangs d'où serpentaient des ruisseaux qui se jetaient dans le James, comme autant de cordes déroulées. Sur l'autre versant : Richmond, avec ses immeubles en verre où se reflétaient parfois le fleuve, les nuages, ou les aciéries et les voies ferrées presque réduites en poussière sous l'effet de la rouille. La ville était là, accrochée à la pente parcourue par les eaux depuis des millénaires, des eaux qui continuaient de creuser la terre, ondulant dans le paysage telles les bannières publicitaires déployées par les commerçants pour vanter leurs marchandises.

En rentrant chez moi, tout avait commencé à me rappeler autre chose. Chacune de mes pensées s'échappait dans un sens ou son contraire pour se greffer sur un autre souvenir, qui me menait vers un autre, et ainsi de suite, jusqu'à ce que je perde tout contact avec le moment présent dans lequel je me trouvais. « Chéri, tu peux réparer la clôture près de l'étang ? » me demanda ma mère un jour de fin d'été ; je traversai l'étendue du jardin avec un marteau et une poignée de clous, atteignis la clôture, m'appuyai dessus, contemplant l'eau tandis qu'une douce brise faisait onduler sa surface, et m'en allai. Où ? Partout et nulle part. J'entendis l'écho des jappements des chiens qui se roulaient dans les détritus en décomposition à l'ombre de la porte de Shamash. De vilaines corneilles croassaient, perchées sur la ligne électrique qu'elles ornaient de leur plumage noir, et leurs cris me rappelèrent les sifflements des obus de mortier au-dessus de ma tête, et là, dans mon jardin, je me mis en position de sécurité avant l'impact. Allez, bande d'enculés, me dis-je, vous m'avez finalement eu ; mais les volatiles s'envolèrent et je repris mes esprits, jetant un œil par-dessus mon épaule, et apercevant ma mère qui me souriait par la fenêtre de la cuisine. Je lui rendis son sourire en agitant la main, me saisis du fil de fer qui se détachait du grillage et le réajustai avec des clous. C'est comme si vous aviez envie de tomber, c'est tout. Vous pensez que vous ne pouvez pas continuer ainsi. Comme si votre vie était suspendue au sommet d'une falaise mais avancer vous semble impossible, non par manque de volonté, mais par manque d'espace. La possibilité d'un jour nouveau se dresse avec défiance face aux lois de la physique. Et vous ne pouvez pas faire machine arrière. Donc, vous voulez tomber, lâcher prise, abandonner, mais vous ne pouvez pas. Et chaque bouffée d'air que vous aspirez vous rappelle votre situation. C'est comme ça.

Fin août. Je quittai la maison de ma mère. J'avais pris l'habitude de faire de longues promenades, sans but, pour passer le temps. Je me réveillai un matin dans la petite pièce adjacente à la cuisine, dans mon lit une place, regrettant d'être toujours en vie, et j'aurais aimé ne pas ouvrir les yeux. Ce n'était pas la première fois. J'en avais assez de ressasser toutes les nuits des choses dont je me souvenais, puis des choses que j'avais oubliées mais dont je m'imputais la responsabilité devant la véracité éclatante des scènes qui tournaient en boucle sous la surface rouge et vert de mes paupières closes. Je ne distinguais pas le vrai du faux, ce que j'inventais de ce qui était réel, mais je voulais que cela cesse, je voulais tout quitter, et que ma perception du monde s'évanouisse comme s'évapore le brouillard. Je voulais dormir, c'est tout. Un souhait passif, que je ne réalisais pas. Bien entendu, la ligne de démarcation est mince entre ne pas vouloir se réveiller et vouloir véritablement se tuer, et même si pour ma part, je ne découvris que plus tard que l'on peut marcher un long moment sur cette frontière sans le remarquer, n'importe lequel de vos proches comprend ce qui vous arrive dans ces moments-là, et c'est alors que surgissent toutes sortes de questions sans réponse.

Un matin, le téléphone sonna. Maman décrocha. « C'est Luke, mon chéri », lança-t-elle à mon attention. Trois heures de l'après-midi. Toujours au lit.

« Dis-lui que je le rappelle. »

Elle entra dans ma chambre et posa le récepteur contre sa poitrine. « Il faut que tu parles aux gens, John. C'est pas bon pour toi de rester tout seul. »

Je connaissais Luke depuis le collège. Il était mon meilleur ami, pourtant encore maintenant, je n'ai pas l'impression que ces mots signifient quoi que ce soit. Ma faute, pas la sienne. Son nom me rappela une découverte que l'on fait lorsque l'on est enfant : si on répète un mot encore et encore, on finit par ne plus entendre que du charabia. « Prends un message », dis-je.

Elle me regarda.

« Je vais le rappeler, m'man. Promis. »

Elle reposa le combiné sur son oreille et fit demi-tour. « Il est fatigué, Luke. Est-ce qu'il peut te rappeler ?... Demain ? D'accord. Je lui dirai.

– C'est bon ?

« – Nom de Dieu, Johnny, lâcha-t-elle, ils vont à la rivière demain après-midi. Ils veulent te voir. Les gens veulent te voir.

– D'accord.

– D'accord quoi ?

– D'accord, peut-être.

– Tu vas y penser, c'est ça ?

– Ouais.

– Je crois que tu devrais vraiment y aller. Penses-y. » Elle esquissa un sourire.

– Putain de merde, maman ! Je ne fais que ça ! »

J'enfilai mon pantalon, sortis sous le porche à l'arrière de la maison, crachai par-dessus la balustrade quelque chose d'un brun jaunâtre, et une vague de douleur obsédante déferla en moi, m'envahit des paupières jusqu'au bout de mes doigts, une douleur globale, comme si mon corps tout entier n'était plus qu'un énorme hématome. J'allumai une cigarette et descendis vers l'étang. La lumière miroitait dans l'air étouffant. Je poursuivis mon chemin jusque dans les bois où un ruisseau creusait son lit entre des berges de terre rouge escarpées. Là où l'eau faisait des remous entre les pierres, je trouvai un endroit où je venais souvent lorsque j'étais enfant : un gros rocher surplombant le torrent sur lequel la terre rouge avait disparu depuis longtemps. Les racines d'un bouleau gris s'accrochaient à la roche et s'enfonçaient dans le sol pour réapparaître dans une clairière non loin de là. Les feuilles des forêts de feuillus de la Virginie centrale avaient entamé leur métamorphose préautomnale et commençaient à jaunir. J'adorais la lumière qui filtrait à travers ce toit mordoré. Le matin me paraissait soyeux et maladroit, comme si j'avais un léger voile devant les yeux.

J'allai jusqu'à la berge et marchai avec précaution le long d'un tronc couché qui enjambait le cours d'eau. Les pierres étaient glissantes mais plus proches les unes des autres que dans mon souvenir, et il n'était pas si difficile de traverser car les bières de la veille ralentissaient mon allure. Je m'aidais de mes mains pour accéder sous le rocher en surplomb, et même si l'air matinal avait déjà commencé à se réchauffer, il y faisait frais. Je sentis l'humidité froide de la roche sous mes doigts. Au-dessus, dans la pente, les initiales J. B. étaient gravées une demi-douzaine de fois sur l'écorce argentée d'un bouleau, d'une écriture plus ou moins grande qui se déformait avec la croissance de l'arbre. Je grimpai sur le talus et caressai les entailles sur le bois. C'était doux et lisse. Je ne me souvenais pas d'avoir gravé ces inscriptions, pourtant j'étais certain d'en être l'auteur. Naturellement, J. B. sont des initiales fort communes, mais même si je n'en avais aucun souvenir, j'étais persuadé que j'avais tracé moi-même ces lettres, et cela me fit sourire.

Je m'assis là un moment, jusqu'à ce que le soleil atteigne son zénith. De larges colonnes de lumière tombaient sur moi et la transpiration coula entre mes omoplates. Je décidai alors de longer les rails jusqu'à la ville. Ce n'était pas vraiment une volonté de ma part ; j'essayai plutôt de faire diversion pour débrancher mon esprit qui ruminait sans cesse. Je n'arrêtais pas de penser à Murph. J'allais où mes bottes me menaient, essayant de ne pas réfléchir, et lorsque je me retrouvai sous le porche à l'arrière de la maison, j'essuyai la sueur de mon front, ouvris la porte coulissante, fourrai quelques trucs dans mon sac militaire, et m'en allai.

Je ne savais pas ce que je faisais à ce moment-là, mais mes souvenirs de Murph étaient en quelque sorte des vestiges fallacieux. En passant au peigne fin ce que je me rappelais de lui, je niais le fait que seul un trou béant me restait en vérité, une absence que j'avais essayé en vain de combler. J'avais trop peu d'éléments pour justifier ce qui avait disparu. Plus je reconstruisais dans ma tête, plus l'image que je tentais de saisir m'échappait. Chaque souvenir que je recouvrais en faisait fuir un autre à tout jamais. Il y avait toutefois un certain équilibre des proportions. C'était comme reconstituer un puzzle à l'envers : les éléments étaient familiers, le beige terne du carton faisait croire que j'allais y arriver, mais l'image s'affadissait très vite. Je me remémorais, par exemple, la fois où nous étions assis un soir dans la tour de garde, observant les traînées rouge et vert et les lueurs plus brèves du spectacle de la guerre, et qu'il m'avait raconté un après-midi avec sa mère dans la modeste pommeraie à flanc de coteau dans lequel elle travaillait, comme la lame de son petit couteau s'agitait et miroitait tandis qu'elle pratiquait des greffes du haut vers le bas des arbres pour faire fleurir de nouvelles branches ; ou le jour où il fut émerveillé, sans trop savoir pourquoi, quand son père rapporta de la mine une douzaine de canaris en cage, et les laissa sortir ; comme les serins avaient voltigé et pépié quelques instants avant de revenir se percher au sommet de leurs cages, que son père avait rangées en ligne, pensant que les oiseaux choisiraient la liberté et que les cages pourraient servir à autre chose : de jolies corbeilles pour les légumes, ou peut-être des bougeoirs qu'ils pourraient suspendre dans les arbres. Mais comme le monde s'organise en d'étranges silences, avait dû se dire Murph, alors que les oiseaux s'étaient installés paisiblement sur leurs petites prisons et s'étaient tus. J'essayais de me souvenir jusqu'à ce que plus rien ne me vienne à l'esprit ; ce qui, je m'en rendis vite compte, était ma seule certitude. Jusqu'à ce que je ne distingue de lui qu'une obscure esquisse, un squelette se désintégrant, et que mon ami Murph ne soit plus qu'un absolu étranger pour moi. Le fait qu'il me manque n'était plus qu'une tombe à tout jamais béante, une aberration dans un pré, un pauvre substitut pour faire mon deuil, comme le sont si souvent les sépultures.

Je suivis les rails le long de la vieille ligne qui menait à Danville en direction de la ville. Il se mit à pleuvioter. La créosote suintait sur les traverses de la voie, substance grise et humide qui collait aux semelles de mes bottes. Je marchai lentement, passant plus ou moins d'une traverse à l'autre, levant à peine les yeux devant moi. Je n'étais pas pressé et ne savais pas où j'allais, mais les arbres se firent plus rares, et avant que je me rende compte du chemin que j'avais parcouru, je me retrouvai sous la première poutre en treillis du pont de chemin de fer qui surplombait la rivière. Le soleil allait bientôt se coucher, et l'eau calme et plate coulait en serpentant depuis sa source dans les montagnes. Les nuages rubiconds se reflétaient dans les courants violacés et orangés, et je me penchai par-dessus la rampe pour voir en contrebas les vieux piliers de pierre, qui avaient soutenu les versions précédentes du pont, sur lesquelles d'autres marcheurs sans but avaient dû s'arrêter pour contempler à peu près le même spectacle que moi, et rester là un moment à respirer profondément en distinguant peut-être dans l'eau leur silhouette ondoyante, avec tout ce vaste espace autour d'eux, tant d'espace que cela faisait mal.

Bientôt, je sentis les vibrations d'un train faire frissonner les rails, et j'aperçus la première lueur d'un phare de locomotive déboucher du virage, de l'autre côté de la rivière. Le soleil n'avait pas totalement disparu et la lumière scintillait faiblement telle une étoile au point du jour ou au crépuscule. Je glissai par-dessus la structure en acier, descendis un peu le long de la berge escarpée, m'assis et observai la silhouette du train qui se dessinait dans la dernière clarté du ciel tandis que le convoi avançait sur le pont. Je distinguais à peine les fenêtres des wagons et encore moins l'intérieur. Je ne savais pas s'ils étaient bondés mais j'aurais voulu être à bord. Peut-être ce train venait-il de Washington DC, traversant le pont du nord au sud ? Peut-être allait-il vers Raleigh ou Asheville, ou peut-être coupait-il vers l'ouest en direction de Roanoke et des Blue Ridge Mountains. Je cherchais un endroit pour pouvoir monter en marche, en vain ; avec les derniers contre-jours et les lueurs de la ville, je ne voyais qu'une forme sombre glisser dans la nuit tombante.

Une petite biche dévala la colline sous la tête de pont en direction de la rive plate et boueuse qui s'étendait sur une cinquantaine de mètres, parsemée de bouleaux et d'ormes. Après, de petites îles apparaissaient çà et là, puis des bandes de sable et de débris entre de sombres bras d'eau. La rivière faisait quatre cents mètres de large environ. Au-delà, sur la colline opposée, se dressait la ville. Elle surplombait un entrelacs de voies ferrées et les restes d'un canal creusé par des négociants coloniaux qui avaient cherché à contourner l'obstacle que représentait Richmond dans la route vers l'ouest. Tandis que j'allumais un feu au bord de l'eau et m'asseyais sous les branches tombantes d'un bouleau, j'eus le sentiment que les rotations de l'univers s'étaient inversées et que j'étais le seul à voir tourner dans l'obscurité cette planète sur laquelle je me trouvais.

Lorsque je me réveillai, le feu n'était plus que cendres. Le matin était déjà bien avancé et le sable, dans la lumière éclatante du jour, ressemblait à de la toile de jute là où j'avais dormi. Le bois flotté était carbonisé. De la musique me parvint d'une grosse radiocassette posée sur un rocher au milieu de la rivière. Des garçons et des filles de mon âge environ étaient allongés sur des serviettes ou sautaient dans le courant en riant. Je reconnus Luke, mais pas les autres.

La cendre et la fumée s'étaient incrustées dans ma peau pendant que le feu se consumait au fil de la nuit, et je barbotai sous le pont de chemin de fer pour essayer de me laver ; mais, une heure plus tard, je sentais encore cette odeur tenace. Je remontai la colline, regagnai les rails et avançai sur le pont à une trentaine de mètres au-dessus de la rivière. Je marchai sur le côté, là où les traverses rejoignent la structure même de l'ouvrage, et je longeai les poutres en acier, balançant de temps à autre mon pied dans le vide tout en regardant les jeunes rire et s'amuser dans l'eau fraîche. La journée était claire et douce, le ciel, derrière la ville, bleu et sans nuages. Lorsque j'atteignis la rive nord, je continuai de suivre les rails pendant un moment, puis tournai dans un petit chemin qui menait vers la berge.

Le canal qui longeait la rivière était difficile à traverser, et même s'il avait été creusé il y a plus de deux cents ans, il semblait encore en chantier et un peu sale. Finalement, je fis demi-tour en direction du chemin qui serpentait près de la berge. J'arrivai sur un terrain de pique-nique au bord de l'eau. C'était l'après-midi à présent et les lieux étaient vides depuis peu. Deux abris étaient installés sous de vieux et solides ormes qui bordaient une petite clairière où trônaient un foyer et quelques souches pour s'asseoir.

Je posai mon sac par terre, allumai un feu, et enlevai mes bottes et mes vêtements pour les suspendre à une branche près des flammes. J'avais les pieds dans l'eau qui suivait docilement son cours ; je n'étais qu'une poussière dans le paysage et c'était très bien ainsi. Une aigrette vola juste au-dessus de mon épaule et rasa la surface de la rivière de si près que je songeai qu'il était impossible qu'un corps pût rester si près d'un autre en contrôlant parfaitement sa position. Mais le bout des ailes de l'animal filait malgré tout sans même effleurer quoi que ce fût. L'oiseau, qui semblait ne prêter aucune attention à ce que je pouvais penser, vira légèrement et disparut avec une grâce extrême dans l'éclat du soleil.

De fines nervures s'enroulaient à la surface de la souche sur laquelle j'étais assis. Les formes complexes qu'elles dessinaient, creusant presque dans le bois, paraissaient étrangement ordonnées. Luke et les autres garçons et filles nageaient encore dans la rivière, ils plongeaient chacun leur tour depuis de gros rochers gris dans le courant qui les entraînait rapidement trois à six mètres plus loin, comme dans un parc d'attractions. Ils étaient magnifiques. Il me fallut résister à l'impérieuse envie de les haïr.

J'étais devenu une espèce d'infirme. Ils étaient mes amis, n'est-ce pas ? Pourquoi ne pouvais-je tout simplement pas nager à leur rencontre ? Qu'est-ce que je leur dirais ? « Hé, comment ça va ? » s'exclameraient-ils en me voyant. Et je répondrais, « J'ai l'impression que quelque chose me bouffe de l'intérieur et je ne peux rien dire à personne parce que tout le monde est si reconnaissant envers moi ; je me sentirais trop ingrat si je me plaignais de quoi que ce soit. » Ou un truc du genre, « Je ne mérite la gratitude de personne, et en vérité les gens devraient me détester à cause de ce que j'ai fait, mais tout le monde m'adore et ça me rend fou. » Bon.

Devrais-je plutôt leur dire que j'avais envie de mourir ; non pas que j'envisageais de me jeter de ce pont, mais je voulais m'endormir pour toujours car il n'y avait aucune excuse pour tuer des femmes, ou même regarder des femmes se faire tuer, ou tuer des hommes pour les mêmes raisons, leur tirer dans le dos, leur tirer dessus plus de fois que nécessaire afin de s'assurer de les avoir vraiment tués ; c'était comme si tu cherchais à tuer tout ce que tu voyais parfois parce que ton âme était rongée par l'acide, puis elle s'envolait. Tu savais qu'il n'y avait aucune excuse pour faire ce que tu étais en train de faire, puisque c'est quelque chose qu'on t'a appris toute ta vie, pourtant tu as continué, et à présent même ta mère est ravie et fière parce que tu as su viser, parce que grâce à toi des gens se sont écroulés pour ne plus jamais se relever, et ouais ils auraient pu te tuer aussi, donc tu te dis, Et alors ? En vérité, cela n'a aucune importance car, finalement, tu as échoué là où tu aurais pu accomplir au moins une chose de bien : l'unique personne que tu avais promis de ramener vivante est morte. Tu as vu toutes sortes de choses mourir, de toutes sortes de façons, et beaucoup plus que tu n'aurais voulu en voir, et toute cette putain de merde ravage ton esprit, mec, sans même que tu t'en rendes compte jusqu'au jour où seuls les animaux te rendent triste, les carcasses de chiens bourrées d'explosifs et de vieux obus, les putains de tripes, et cette puanteur du métal et d'ordures qui brûlent ; tu marches, et l'odeur ne te quitte plus, et tu te dis, Comment le métal peut-il brûler à ce point ? Mais d'où viennent tous ces putains de détritus ? Même une fois rentré chez toi, il t'en arrive des relents dans le nez ; et puis ce truc que tu avais remarqué, quand la réalité te glissait entre les doigts sans prévenir, ce truc disparaît, et le processus s'inverse ; tu as atteint les tréfonds de ton esprit mais un trou encore plus profond se creuse en toi parce que tout le monde est si content de te revoir, toi, l'assassin, le complice, celui qui, au minimum, porte une putain de part de responsabilité, et tout le monde veut te taper dans le dos, et tu commences à avoir envie de brûler le pays tout entier, tu veux détruire tous les putains de rubans jaunes que tu vois, et tu ne sais pas pourquoi, c'est juste du genre, Je vous emmerde, mais tu t'es engagé volontairement, donc tout est ta faute, tu y es allé à dessein, donc finalement tu t'es doublement fait avoir, donc pourquoi ne pas trouver un endroit où se recroqueviller, et mourir, en endurant le moins de souffrance possible parce que tu es un lâche et, en vérité, c'est la lâcheté qui t'a mis dans ce pétrin parce que tu voulais être un homme ; les autres se moquaient de toi, te poussaient au réfectoire et dans les couloirs du lycée parce que tu aimais lire des livres et de la poésie parfois, et ils te traitaient de pédé, et, au fond de toi, tu sais que tu y es allé parce que tu voulais être un homme, et cela n'arrivera jamais désormais, parce que tu es trop lâche, donc finissons-en, pourquoi ne pas trouver un endroit propre et sec et attendre, en faisant en sorte que cela soit le moins douloureux possible, juste attendre de s'endormir pour ne plus se réveiller, et qu'ils aillent tous se faire foutre.

162

Je me mis à pleurer. Entre-temps, la nuit était tombée. Les filles, dans la douce pénombre estivale, s'essuyaient en riant sur les rochers à la lueur des lampadaires du pont tout proche. Je me levai et suivis sans but le chemin qui longeait la rive. Je me déshabillai et pénétrai dans la rivière. L'air était encore chaud, mais l'eau me rafraîchit, et la lune au-dessus des arbres sur la colline, annihilant l'éclairage public, faisait délicatement miroiter la surface. Je me sentis fondre lentement. Je me laissai aller, flottant, à la dérive, pour dormir.

Un rêve habitait la rivière. Je me tenais là debout et nu dans l'eau près de la berge opposée. Un troupeau de chevaux se prélassait dans un champ planté de cornouillers et de saules. Ils avaient tous la même robe rouanne, sauf un vieux palomino au pelage doré qui me regardait tandis que les autres paissaient dans la faible clarté de la lune. Il avait les sabots en sang, des traces de fouet et une marque au fer sur la croupe. Il entra dans l'eau peu profonde en dodelinant de la tête. Alors qu'il marchait vers moi, le sang se diluait dans le courant, laissant dans le sillage de l'animal une traînée rouge. Il se déplaçait lentement, mais sans rechigner ; seul son pas était hésitant. Toujours debout et nu, je frappai doucement l'eau autour de moi des deux mains, sans violence, mes doigts allant et venant en demi-cercles sur la surface. Le cheval s'approcha et renâcla un peu tout en secouant tranquillement sa tête une, deux fois. Il resta devant moi, vieux, esquinté par le fouet, perdant son sang, mais bien droit malgré ses blessures. Il se pencha et son nez toucha mon épaule et mon cou ; puis je me penchai à mon tour, l'effleurai du bout de mon nez, passai mes mains autour de son encolure et sentis la puissance de ses muscles meurtris. Ses yeux étaient noirs et doux.

Telle était la vision que j'avais lorsque je me réveillai. Mon Dieu, quel vacarme ! Les cris se rapprochèrent. On hurlait, « Sors-le. Putain, sors-le de là. » Je m'étouffai en ouvrant les yeux et crachai de l'eau. Ils me frappèrent la poitrine pour que je crache encore et je restai étendu là, à moitié sur la berge, à moitié dans la rivière, mais en sécurité, abasourdi et souriant devant les étranges visages qui m'entouraient. L'eau clapotait sur mes pieds, les rafraîchissant. Je souris d'un air absent et songeai au vieux palomino qui s'était penché vers moi. Mais bon. Les lampadaires étaient allumés et on m'appelait. C'était la nuit.

Luke m'avait vu flotter et avait appelé les urgences avec le téléphone portable d'une des filles. Les flics laissèrent tomber le suivi psychologique qu'on vous propose dans ces cas-là par respect pour le soldat que j'étais. Je leur avais donné ma carte d'identité militaire lorsqu'ils m'avaient demandé mes papiers. Ils firent, « Allez, soldat, on va vous ramener à la maison. » Lorsqu'ils me déposèrent devant chez moi, un des flics me regarda d'un air inquiet et dit, « Essaie de te ressaisir, fiston. Tu seras à nouveau sur pied en un rien de temps. »

J'ouvris la porte et ma mère m'attendait. Elle m'attrapa le visage et m'embrassa les joues et le front. « J'ai cru que je t'avais perdu, dit-elle.

– Ça va, m'man. Tout va bien.

– Je comprends pas ce qui t'arrive. Tu m'as fait une de ces peurs. » Elle se tenait debout devant moi, puis se dirigea vers le comptoir et commença à parcourir nerveusement les lettres qui se trouvaient là. « Tu sais, pour couronner le tout, je reçois des appels aussi maintenant, ajouta-t-elle.

– Ah bon ? De qui ? »

Elle se tourna vers moi. Ses yeux contenaient toute la douleur et l'horreur que je lui avais infligées. « Un capitaine. Il dit qu'il est de la commission d'enquête militaire. » Elle articula les mots lentement. « Il veut te parler. » Elle s'interrompit et fit quelques pas dans ma direction. Je m'éloignai, allai dans ma chambre et fermai la porte. Sa voix passa entre les fines cloisons en contreplaqué. « Qu'est-ce qui s'est passé là-bas, Johnny ? Qu'est-ce qui s'est passé, bébé ? Qu'est-ce que tu as fait ? »

Qu'est-ce qui s'est passé ? Qu'est-ce qui s'est passé, bordel ? C'est même pas la question, pensai-je. C'est quoi, la question ? Comment peut-on répondre à ce qui n'a pas de réponse ? Dire ce qui s'est passé, raconter les simples faits, l'enchaînement chronologique des événements, passerait pour une sorte de trahison. Les instants, tels des dominos, s'aligneraient parfaitement, puis se renverseraient sous le poids des causes vagues et incertaines, démontrant ainsi que tout objet est destiné à s'effondrer. Ce n'est pas suffisant de raconter ce qui s'est passé. Tout est arrivé. Tout s'est écroulé.

# 8

## OCTOBRE 2004

*Al Tafar, province de Ninawa, Irak*

À la fin de notre première tempête, l'automne s'installa. Des rideaux de pluie tombèrent d'un ciel couleur de minerai de fer, nous accordant un bref répit en termes de chaleur et de poussière. Nous étions toujours sous tension, mais à présent nous étions sous tension et trempés.

Plusieurs jours après le combat dans le verger, un major débarqua un matin, juste avant le lever du jour. Nous nous étions bien battus, avions minimisé les dégâts chez les civils, tué de nombreux hadjis et essuyé seulement quelques pertes dans nos rangs. Cela nous avait valu des missions plus faciles : des patrouilles de quarante-huit heures, suivies de vingt-quatre heures de récupération. Lorsque le major arriva, nous rentrions tout juste d'une de ces patrouilles de luxe à travers les immeubles presque vides des faubourgs sud d'Al Tafar. Nous avions jeté comme d'habitude nos équipements par terre et nous prélassions contre les barrières en béton et les arbres, dans les positions qui nous étaient le plus confortables.

« Gaaaarde-à-vous ! » aboya le second du major comme ils pénétraient tous deux d'un pas nonchalant dans notre zone en soulevant un filet de camouflage.

Le lieutenant ronflait, étendu de tout son long sur une enceinte en béton où nous avions souvent attendu pendant des barrages de tirs de mortier, jouant aux cartes ou organisant des combats à mains nues jusqu'à ce que la dernière miette de shrapnel siffle en passant au-dessus de nos têtes. Il ne bougea pas. Le major et son second se regardèrent, puis se tournèrent vers nous. Nous les observions en retour, à peine plus conscients de leur présence que l'instant d'avant. Même Sterling, qui portait encore son équipement au complet, impeccable comme à son habitude, demeura immobile. Nous avions passé trois heures avant l'aube à attendre l'arrivée d'un hélicoptère d'évacuation sanitaire qui ne pouvait approcher à cause de la couverture nuageuse due à la tempête, réfugiés dans une tranchée d'égout, enlevant méticuleusement des éclats d'obus du visage et du cou d'un garçon, et nous étions fatigués.

Le second s'éclaircit la gorge. « Gaaaarde-à-vous ! » lança-t-il, plus fort cette fois, mais nous savourions la pluie fraîche et le calme des premières heures, et le remarquâmes à peine.

Sterling s'ébroua, jeta un œil en direction du lieutenant qui ronflait, et dit, « Rompez », avec le peu de sérieux qu'il avait réussi à puiser en lui.

Nous commençâmes à nous affairer tandis que le major prenait la parole. Seul Sterling garda son maintien militaire et resta attentif. Je crois que c'était tout ce qui lui restait alors. Nous vaquâmes à nos tâches domestiques pendant que les décorations étaient décernées ; certains nettoyaient des armes sur des carrés de terre sèche protégés par des filets de camouflage et des bâches ; d'autres, ignorant la pluie, lavaient la poussière et le sel de leurs vêtements dans des bassines en plastique rouge pleines d'une eau qui ne tardait pas à devenir marronnasse de crasse ; d'autres encore échangeaient les contenus de colis de ravitaillement contre des paquets de clopes, fumant tout en se fondant parmi ceux qui écoutaient le major. En effet, la plupart d'entre nous accordèrent l'attention qu'ils jugèrent nécessaire à cette cérémonie surprise, et, tandis que la pluie détrempait les ordres que le gradé tenait dans ses mains, nous attribuant des médailles pour bravoure, héroïsme et mérite, le garçon récompensé s'avançait, ou non, en fonction de l'intérêt qu'il portait à la chose, pour recevoir sa décoration et son papier en lambeaux.

Seule la récompense de Sterling suscita quelques réactions, principalement parce qu'il reçut en plus une étoile de bronze, la quatrième plus haute distinction pour actions méritoires. Nous lui lançâmes, « Bon travail, sergent » et « Vous le méritez, sergent », et lui tapâmes dans le dos chacun notre tour. Il salua nerveusement le major, fit une brusque volte-face, et revint s'asseoir contre son tronc d'arbre, sa médaille dissimulée dans sa paume fermée.

Après le départ du major et de son second, je remarquai que Murph avait raté la cérémonie. Depuis quelques semaines, j'avais l'impression qu'il m'évitait. Rien de bien précis n'attira mon attention au début. Il se tenait à l'écart pendant les patrouilles, ce qui arrivait de temps en temps. Lorsque je le croisais sur la base, il faisait comme s'il était pressé, ou il me tournait le dos quand je m'avançais dans sa direction, évitant mon regard. Mais bon, on fout la paix aux gens dans des moments pareils. Merde, juste un an plus tôt il passait le plus clair de son temps enterré dans cette putain de mine dont il parlait constamment. « Shipp Mountain, disait-il, tu parles d'une saloperie. On descendait là-dedans à trois, quatre heures du matin, je m'allongeais sur le dos dans un chariot, je regardais en l'air et j'avais l'impression que le monde tout entier n'était qu'à quelques mètres au-dessus de ma tête et qu'il aurait suffi d'un rien pour que je me retrouve réduit en bouillie. Putain, Bart, je ne voyais pas le soleil pendant des semaines à l'époque.

— C'est vrai ?

— Je te jure. »

Les températures grimpaient à Al Tafar, et nous patrouillions dehors pendant des heures et des heures. Il faisait si chaud que la poussière même semblait libérer sa propre lumière après le coucher du soleil, si chaud qu'on provoquait Sterling « Sergent, il fait quarante-huit degrés. Si on se rendait et qu'on rentrait à la maison ?

— Ferme ta putain de gueule », répondait-il s'il était de mauvaise humeur. Les rares jours où l'on pouvait estimer qu'il était presque de bonne humeur, il se retournait vers nous, tandis que nous nous échinions à escalader un mur, ou traversions péniblement une tranchée d'égout éboulée, souriait et disait, « La vie est faite de souffrances. » Et, sous le soleil de plomb qui nous aveuglait tous deux, je glissais à Murph, « Ç'aurait été bien si on nous avait pas balancés d'un seul coup dans ce merdier. »

Je passais beaucoup de temps à chercher à me remémorer à quel moment exact j'avais remarqué un changement chez Murph, comme si quelque part je pensais qu'en parvenant à me rappeler l'instant précis où il avait commencé à glisser de l'autre côté, j'aurais pu y changer quelque chose. Mais ce genre de transformation est subtil, et essayer de discerner les différentes phases revient à tenter d'évaluer les diverses nuances du gris à la tombée du jour. En vérité, il est impossible d'identifier quoi que ce soit, et je commençais à penser que la guerre n'était qu'une vaste fumisterie, tant elle était cruelle, tant je voulais désespérément comprendre les particularités de l'étrange et nouveau comportement de Murph, revenir à ce moment, à cette cause initiale, cette chose dont je ne me sentirais pas coupable. Et brusquement, un après-midi, alors que, hébété, je jetais des cailloux dans un seau, je compris que si fumisterie il y avait, j'en étais la victime. Car comment peut-on évaluer la déviance si on ignore la norme ? Il n'y a pas de juste milieu. Nos êtres sont tous un peu fêlés.

Je ne pouvais penser à rien d'autre. Je passais mes journées assis dans la poussière, à lancer des pierres dans un seau, manquant ma cible ou non, peu importait. Je me remémorai sans cesse la promesse que j'avais faite à la mère de Murph. Je ne savais même plus ce que j'avais dit, ou ce qu'elle m'avait demandé précisément. Le ramener à la maison ? En un seul morceau, c'est ça ? C'est tout ? Je ne me souvenais plus. Aurais-je échoué s'il n'était plus heureux, s'il n'était plus sain d'esprit ? Comment pouvais-je protéger quelque chose que je ne pouvais pas voir, même pas en moi ? Va te faire foutre, connasse, me disais-je, et je recommençais depuis le début.

J'allai finalement trouver Sterling pour lui faire part de mes inquiétudes. Il rit. « Il y a des gens qui ne s'en sortent pas. Tu ferais bien de t'habituer à l'idée que Murph est un homme mort. »

Je n'en croyais pas mes oreilles. « Mais non, sergent. Il va se ressaisir. » J'essayais de rigoler, et ajoutai, « Il va rien lui arriver, il est solide. »

Sterling sculptait des animaux dans un manche de hache cassé à l'abri sous quelques branches d'arbre. « Soldat, tu oublies le danger, parce qu'il est constant ici. » Il marqua une pause et s'alluma une cigarette. Elle pendait entre ses lèvres et la cendre s'allongeait tandis qu'il continuait de tailler. « Mais si tu rentres aux États-Unis dans ta tête avant que tes fesses soient là-bas aussi, tu es un putain d'homme mort. Je te le dis. Tu ne sais pas où Murph est parti, mais moi je le sais.

– Où, sergent ?

– Murph est rentré, Bartle. Et il va rentrer, oui, mais avec un drapeau dans le cul, et fissa. »

Je m'éloignai, pensant partir à la recherche de Murph, lorsque Sterling me héla. « Il n'y a qu'une façon de rentrer à la maison pour de vrai, soldat. Il faut être tordu dans ce putain de merdier. »

Dans un sens, je savais que c'était vrai. Murph devint de plus en plus opaque, mais j'avais mes propres théories. Pendant nos jours de repos, je les explorais. Dans les bunkers situés dans les coins les moins fréquentés de notre base, je soliloquais en buvant du whisky jordanien bon marché. Mes marmonnements étaient ponctués de brefs sanglots percutants. Moi aussi, je devenais l'ombre de moi-même. Je commençai à visualiser ma propre mort dans ces conduits en béton posés là. Si quelqu'un avait pu me voir, si j'avais été visible, j'aurais peut-être semblé projeté dans mon propre futur, blotti sous les toits d'un paysage urbain sous le niveau des rues. Mes marmonnements n'auraient rien eu d'étonnant. Ils auraient plutôt paru logiques dans cet environnement, et les hommes et les femmes qui seraient passés par là ne m'auraient même pas prêté attention. Ils auraient éventuellement chuchoté en passant, « Quel dommage, il n'a pas réussi à s'en sortir. » Et un autre aurait répondu, « Je sais, c'est tragique. » Mais je n'aurais eu que faire de leur pitié. Même paralysé par le froid, je n'aurais jamais quémandé la bienveillance de quiconque. Non, je serais resté assis là à marmonner tout seul, enviant leurs grands parapluies, leurs vêtements secs, et la douceur, la banalité sans faille de leur existence. Mais cela n'aurait pas eu d'importance. Ne pourrait pas en avoir, parce que la pluie continuerait de tomber dans les ruelles et les caniveaux où je me réfugierais pour me reposer. Elle tomberait aux abords des parkings à étages où l'on peut rester une nuit ou deux avant de se faire repérer. Elle tomberait dans les parcs des villes où les feuilles et les branches dénudées conspireraient avec un panneau en carton pour me tenir au sec, tandis que le pathétique message que j'aurais tracé deviendrait illisible. Elle tomberait comme elle tombe sur Al Tafar, par intermittence sur la guerre ; des averses sporadiques qui n'étaient rien de plus que les signes météorologiques de la résignation.

Ce soir-là, assis dans un bunker à l'extrême est de la base, j'imaginai ma mort sous toutes ses coutures. Je sirotai une bouteille de Royal Horse et regardai par l'entrée circulaire du conduit les immeubles et les minarets se teinter de violet et de noir au fil de la nuit. J'envisageai tout. Je serai blessé bientôt, à l'automne ou durant ce qui passait pour l'hiver. Je saignerais, et serai même peut-être blessé, mes tympans seraient touchés, mes organes. Oui, je saignerais peut-être. Je saignerai c'est sûr. Je parlai à voix haute, en bredouillant ; mes mots réverbéraient sur le béton. Murph trouverait mon corps, mais, d'abord, il faudrait que je devienne un cadavre, il faudrait qu'on me descende, qu'il y ait une explosion plutôt que des éclats de métal pénètrent sous ma peau qui se déchirerait. Et comme la confusion survient toujours après une déflagration, je resterais à saigner jusqu'à ce que mon visage devienne gris, que ma peau tout entière devienne grise, et alors je deviendrais un cadavre. Je prononçai « grise » et « cadavre » et les voyelles résonnèrent aux extrémités du conduit. Et je serais mort. I et A s'évanouirent dans la nuit humide, et je vis Murph. J'étais saoul. Je vis Murph prendre ma tête dans ses mains, ma tête défoncée ; je le vis me tirer par les bras. Mes jambes, flasques et mortes, glissaient par à-coups sur le sol, rebondissaient à chaque petit accident de terrain, mais je ne les remarquais même pas puisqu'elles traînaient derrière mon corps. Je ris et cette fois il n'y eu pas d'écho. Je vis de l'eau et mon corps flottant, perdant son sang, et je crus sentir l'odeur de mon propre sang, de mon corps, quelque chose de blet et de métallique. J'étais vraiment ivre. Je vis l'intérieur de boîtes noires, des cercueils bas de gamme, je vis la Virginie, toutes ces tombes alignées telles de petites dents dans un champ et les cornouillers en fleurs, puis les pétales tomber, ma mère pleurer, elle pleurait. Je la faisais pleurer. Je vis la terre ferme, les vers, le drapeau et la boîte en étain disparaître, et je ne vis plus que la terre marron, partout et pour toujours, et je pensai à Murph, à de l'eau, j'articulai le mot « eau » comme si j'en demandais et après plus rien à l'exception de l'écho de ma voix résonnant contre le béton jusqu'à ce que je me réveille.

La pluie cessa. Le temps s'adoucit. Notre dernière patrouille de quarante-huit heures s'était déroulée sans encombre. Nous n'avions même plus conscience de notre propre violence : les passages à tabac, les coups de pied décochés aux chiens, les fouilles, la parfaite brutalité de notre présence. Chacun de nos actes correspondait à une page de notre manuel que l'on appliquait sans réfléchir. Je m'en moquais.

Je n'avais pas parlé à Murph depuis des jours. Personne d'ailleurs. Je trouvai les restes de son formulaire de pertes, sa lettre et la photo de sa copine dans un seau à lessive, avec le savon et tout. Je les fourrai dans ma poche. Je commençai à le suivre pour essayer de savoir ce qu'il fabriquait. Je ne voulais pas croire que j'étais en train d'observer les allées et venues d'un homme déjà mort. Je cherchai donc des preuves contradictoires. Je m'efforçai de déceler au moins quelques signes de vie.

Je commençai à découvrir les messages qu'il avait laissés à travers toute la base : Murph est passé par là. Un petit tag : un nez et deux yeux qui regardaient fixement par-dessus une ligne fine. Parfois des doigts dépassaient du mur aussi, parfois non, mais les yeux et le nez pointaient toujours, ridicules et à l'affût, et le message était inscrit en dessous : Murph est passé par là. Je me demandais s'il dessinait ces graffitis depuis notre arrivée. Aucune date n'était mentionnée, en tout cas pas sur la demi-douzaine de tags que je dénichai, et je décidai qu'ils ne devaient pas avoir plus d'une semaine. Je m'efforçai de trianguler les différents emplacements afin de repérer les endroits où Murph serait susceptible de se trouver. Je tentai une surveillance du mess, allai voir dans une compagnie de service, dans les lointaines tours de garde, et même au marché hadji dont notre colonel de brigade avait autorisé l'installation afin que nous participions un peu plus à la vie de la population, en contribuant à leur marché noir, le système économique local. Je ne le trouvai nulle part.

À court d'idées, je demandai autour de moi, « Quelqu'un sait où Murph est allé ?

— Nan, mec, répondaient certains.

— Qu'est-ce que ça peut me foutre ? » disaient d'autres.

Je rencontrai Sterling, les pieds posés sur un tas de sacs de sable, un magazine porno sur les yeux pour se protéger d'un soleil terne.

« Hé, sergent, vous avez vu Murph récemment ?

— Ouais, dit-il. Il traîne au poste médical depuis quelque temps. Il a des vues sur une meuf là-bas.

— Au quartier général ? demandai-je.

— Non, ducon, répliqua-t-il, il mate notre toubib, la grosse Smitty.

— Ah, d'accord. Je vais y aller pour voir où il en est.

— C'est ta bataille, soldat », dit le sergent Sterling, et je quittai nos quartiers, me baissant sous les filets tendus de bunker en bunker, de conteneur en conteneur, retenant le tissu tombant pour qu'il ne me recouvre pas comme un linceul. La lumière filtrait entre les trous et ondoyait sur mes mains, mon corps et le chemin poussiéreux qui menait à la petite colline où se trouvait l'unité médicale.

Je fumai cigarette sur cigarette en chemin. Une modeste chapelle en bardeaux de bois blancs dont la peinture s'écaillait sous l'effet du vent et du soleil se dressait. Quelques arbres s'élevaient tout autour, plantés là pour faire de l'ombre et livrés à eux-mêmes dans la chaleur de l'été. Une plateforme d'atterrissage pour héli-coptères était grossièrement dessinée dans la poussière au sommet de la colline. Derrière, s'étendait un dédale de tentes et de canalisations d'évacuation en béton à ciel ouvert. Un muret en pierre encerclait la zone, serpen-tant comme un ruban d'os décalcifiés, sur le point de s'effondrer.

La pente de la colline n'était pas raide. J'atteignis sans peine le sommet, me retournai pour observer la base et l'enceinte ponctuée de tours et de postes de tir. Au-delà, une route et une voie ferrée se suivaient en parallèle sur quelques centaines de mètres, bordées de grands arbres à feuilles persistantes ramollis par l'air frais et la pluie récente. À travers les branches inclinées, la ville s'étalait au hasard tel un ivrogne trébuchant au petit bonheur la chance sur un trottoir.

« Hé, Bart », dit Murph.

Il était assis dans l'ombre le long du mur, comme paralysé contre les pierres.

« T'étais où, mec ? demandai-je.

– Ici. J'étais ici.

– Ça va ? »

Il avait les mains dans les poches, les jambes tendues et croisées au niveau des chevilles. Il semblait observer l'unité médicale comme s'il attendait que quelque chose survienne. Le vrombissement d'un hélicoptère envahit soudain le ciel. Les oiseaux plongèrent et tan-guèrent dans l'air pour voler en rase-mottes vers l'horizon, hors de portée. Je m'assis près de Murph à l'ombre du mur, et nous posâmes nos mains sur nos casques pour qu'ils ne s'envolent pas avec la poussière soulevée par le souffle des hélices.

Dès que l'hélicoptère fut en vol stationnaire au-dessus de la plateforme, tout le monde s'affaira. Un médecin le guida pour atterrir, et deux autres se tinrent prêts, portant un brancard sur lequel nous distinguions nettement malgré la distance des taches de sang séché couleur de rouille. À côté d'eux, un autre médecin, une fille, était accroupie dans la poussière. Elle était blonde et portait un tee-shirt marron avec des gants en latex qui lui montaient jusqu'aux coudes. Ses manches courtes étaient roulées sur le bel arrondi blanc de ses épaules, et ses gants un peu bleutés ressortaient dans le monochrome terne de l'hiver du désert, au point que nous étions obnubilés par le moindre de ses mouvements.

« Elle t'intéresse, cette fille ? demandai-je.

– Depuis un petit moment, ouais. »

L'hélicoptère se posa et l'équipe médicale fit glisser sur le plancher métallique de la cabine un garçon qui paraissait mimer des hurlements dans le bruit assourdissant des rotors. Il perdait son sang qui s'étalait en longues traînées sur les bras des médecins et sur la civière. Sa jambe gauche n'en était plus une : elle pendait, réduite en une bouillie sous son pantalon découpé. La fille lui posa un garrot, se positionna près de lui, et ils s'ébranlèrent en direction de l'hôpital de fortune. Elle tenait dans l'une de ses mains gantées celle du soldat, et, de l'autre, elle lui caressait le visage, les cheveux, les lèvres, les yeux. Ils disparurent dans la tente.

L'hélicoptère décolla, se balança au-dessus du sol et s'éloigna rapidement vers l'horizon. Le vacarme de l'appareil s'évanouit au-dessus de la ville, et la voix du garçon résonna de plus en plus fort alors qu'il vociférait dans la petite tente médicale. Les quelques personnes alentour s'arrêtèrent. Murph et moi demeurions immobiles, silencieux. Nous écoutions tous les hurlements incontournables qui, peu à peu, diminuèrent pour finalement s'éteindre. Il ne nous restait qu'à espérer que sa voix s'était brisée, qu'il s'était fatigué ou qu'on l'avait anesthésié, qu'il respirait à présent profondément de grosses bouffées d'air frais, ses cordes vocales libérées des vibrations de la mélodie de l'agonie, mais nous savions que cela n'était pas vrai.

« Je veux rentrer à la maison, Bart », dit Murph. Il sortit une chique qu'il glissa derrière sa lèvre inférieure et cracha dans la poussière.

« Bientôt, mec, bientôt », répondis-je.

Chacun se remit en marche, grimpant et descendant la colline, vaquant à ses occupations premières.

« Je ne dirai jamais à personne que je suis venu ici, quand je rentrerai, fit-il.

– Tu pourras pas empêcher les gens de savoir, Murph. »

La fille émergea de la tente. Il n'y avait plus d'urgence dans sa façon de se mouvoir. Elle enleva ses gants, maculés de sang, et les jeta dans un tonneau. Ses bras étaient pâles, ses mains sombres et petites. Je regardai Murph, et réalisai pourquoi il venait ici. Ce n'était pas parce qu'elle était belle, même si elle l'était. Non, il s'agissait d'autre chose. Nous l'observâmes prendre un morceau de savon dans une assiette et se laver les mains dans un lavabo improvisé accroché à un poteau. Dans la lumière de l'après-midi, nous apercevions sa nuque soyeuse. Quelques nuages épars flottaient dans le ciel. Elle s'assit par terre, alluma une cigarette, croisa les jambes et se mit à pleurer en silence.

Je songeai que c'était cela, plutôt que sa beauté, qui avait attiré Murph ici durant ces longues journées identiques les unes aux autres. Cet endroit, ces petites tentes au sommet de la colline, cette étroite ruine dans laquelle elle se trouvait : c'était peut-être le dernier rempart de gentillesse et de douceur. C'était naturel de rester là à la regarder sangloter sur un coin de terre poussiéreuse. Je comprenais pourquoi Murph était venu, et pourquoi je ne pouvais pas repartir : parce qu'on ne sait jamais si ce que l'on voit ne va pas disparaître pour toujours. Bien sûr, Murph voulait assister à cette tendresse, il voulait contempler une jolie fille, il voulait être dans un endroit où la compassion avait encore sa place, mais ce n'était pas tout. Il voulait choisir. Il aurait substitué n'importe quoi à la torpeur qui grandissait en lui. Il voulait décider de ce qui l'entourait, refuser ce qui lui tombait dessus par accident ou par chance et restait en orbite autour de lui tel un disque d'accrétion. Il voulait se fabriquer et conserver au moins un souvenir de sa propre volonté pour contrebalancer les restes éclatés de tout ce qu'il n'avait pas demandé.

La fille se leva, jeta sa cigarette, l'écrasa du bout du pied, et se dirigea vers la chapelle, passant devant le peuplier et le micocoulier flétris, plantés là par hasard. La chapelle semblait posée dans son trou poussiéreux comme une idée après coup, loin des filets qui recouvraient les pièces d'artillerie positionnées un peu à l'écart de la butte. La lumière s'infiltrait entre les lattes de bois, traversant de part en part le petit édifice. Le clocher avec sa sobre croix était visible depuis les limites les plus reculées de la ville. La silhouette de la fille se dessinait dans le lointain sur la paroi blanche défraîchie sans portes, cadres ni carreaux aux fenêtres. Elle soulevait dans son sillage un léger voile de poussière.

Je posai ma main sur l'épaule de Murph. « On va s'en sortir, fis-je. On peut compter l'un sur l'autre. On sait de quoi il retourne.

— Je ne veux pas être proche de quelqu'un à cause de ce merdier. Ce n'est pas parce qu'on est ici ensemble qu'on est liés l'un à l'autre. Je ne veux pas que ce soit ça.

— Nan, mec, poursuivis-je, toi et moi, on est proches parce qu'on est proches, c'est tout. On serait proches n'importe où. C'est pas à cause de ça. » Je ne me souviens pas si je le pensais vraiment. Je me sentais si différent à l'époque ; tout était soudain et nouveau, il n'y avait pas de temps pour la réflexion, et je ne voyais pas plus loin que ce qui était susceptible de me tuer l'instant suivant. Je ne sais même pas si nous étions vraiment proches. Ce n'est qu'après ce moment que j'ai essayé de comprendre, de découvrir pourquoi je me sentais à ce point coupable.

Je pris sa main dans la mienne, tirai par le bras et nous nous levâmes pour rentrer dans nos quartiers. Ce qu'il avait essayé de formuler m'effrayait. Il refusait que cet endroit le lie de quelque façon que ce soit à quiconque, même à moi. C'était angoissant d'imaginer comment il allait respecter cette résolution.

Nous n'avions eu le temps de faire que quelques pas lorsque nous entendîmes les gémissements des tirs de mortier ennemis. Comme si le sifflement assouvelissant d'une bouilloire bouillante avait envahi le ciel. Nous nous regardâmes, Murph et moi, sans voix face à l'éternité de nos êtres respectifs composés de fractions et de fractions de seconde. Pendant un instant d'une brièveté infinitésimale, nous ne fûmes ni courageux ni terrifiés. Aucun de nous deux ne parla ni ne bougea. Nos yeux humides se fixaient ; un regard de chevaux habitués aux combats. Je ne sus pas exactement où le premier obus tomba, mais ce fut près de nous. L'impact m'ébranla tel un poing d'acier dans le cœur de la terre. Le sol tout entier trembla sous mes bottes ; je ne vis qu'un éclair lumineux puis de la fumée grise surgir comme de la peinture sale projetée sur une toile délavée. Toutes les formes se fissurèrent et se dispersèrent dans le violent craquement de l'explosion.

Je me jetai au sol sans même y réfléchir, me couvris la tête avec les mains, ouvris la bouche et croisai les chevilles. Je comptai les battements de mon cœur. Toujours là. De petites particules métalliques volèrent au-dessus de moi à chaque secousse, défiant toutes les lois de la vitesse et du son. Prendre une inspiration. Et une autre. Pas évident. Se concentrer.

J'abandonnai, me rendis ; peu importait, j'étais parti. Mes nerfs et ma mémoire actionnaient mes muscles. « Murph ! » Le son de ma propre voix me sembla comme désincarné, s'élevant en arc de cercle dans la poussière et la fumée. « Murph ! » Il ne répondait pas. La voix stridente de mon sergent pénétra dans mon esprit, matant chaque synapse de mon cerveau encore entier. Fais-toi tout petit, soldat. Si tu veux sauver ta putain de peau, il faut que tu puisses te planquer sous ton casque.

Je ne comptai pas les obus de mortier. Il n'était plus question de mesurer ou d'évaluer quoique ce soit. Baoum. Baoum. Baoum. La terre s'ébranlait et les vibrations parcouraient mes paumes et mes avant-bras tandis que mes mains, à présent en sang, tentaient désespérément d'ériger une petite muraille de terre sèche devant mon visage. Les boutons de ma veste s'enfonçaient comme des rivets dans le sol. Fais-toi petit, soldat. Tu te fais carrément tout petit, et tu restes petit, nom de Dieu.

Il y eut une accalmie brève et impalpable, une brèche apparaissant entre les nuages. Ma poitrine se serra profondément, sous mon sternum, comme si mes côtes se refermaient tel un poing perclu d'arthrite. J'étais toujours prostré au sol. Mon visage et mon corps avaient labouré la parcelle de terrain sur laquelle j'étais étendu, de la terre dans la bouche, sur les dents, et la langue. J'en avais aussi dans le nez. Je respirais avec difficulté et j'eus soudain l'impression de tomber, de la même manière qu'on sort brutalement du sommeil lorsque l'on rêve que ses doigts viennent de lâcher leur ultime prise nocturne.

Je tendis l'oreille mais n'entendis rien. Merde, c'est ma vie, me dis-je. Je ne vais pas mourir dans une putain de tombe que j'ai creusée de mes propres mains ensanglantées. Je me soulevai et me mis à genoux quand les obus de mortier tombèrent à nouveau, mais pas aussi près qu'auparavant. Ils ajustaient leurs tirs. Il n'y avait personne aux alentours pour donner la moindre indication de distance ou de direction, donc je me mis à courir. J'étais terrorisé. Des larmes jaillirent de mes yeux, je pissai dans mon pantalon, et même si je n'en avais pas vraiment besoin, je hurlai, « Je suis debout », en me dressant sur mes jambes flageolantes. « Je bouge », criai-je en sanglotant à chaque pas, et, « Je suis à terre », poursuivis-je en me jetant à bout de souffle dans les entrailles d'un fossé plein d'eaux usées qui croupissaient depuis des semaines. Seuls mon nez et mes yeux surnageaient. Une nuée de passereaux se dispersa dans le lointain, et les bruits de dislocation se dissipèrent alors que les tirs de mortier s'éloignaient de ma position. J'entendis encore un déchirement bref et violent dans l'air. Je restai dans l'eau pleine de merde suffisamment longtemps pour être certain que plus rien n'allait tomber. De la fumée grise envahissait mon fossé fétide. Putain. Je respirai. Je m'en étais sorti.

Je regardai autour de moi pour essayer de voir où j'avais exactement atterri. Le fossé d'évacuation traversait la base en son centre, passant juste sous la colline où la chapelle et l'unité médicale se trouvaient, et sous une autre butte où le colonel avait autorisé des hadjis à installer des échoppes dans une enfilade de bâtiments abandonnés depuis le début de la guerre. Les boutiques exigües, que nous appelions tous le centre commercial hadji, avaient certainement été la cible des mortiers. Elles semblaient avoir essuyé le plus lourd des tirs. Sur le tertre face à moi, les hadjis étaient rassemblés en prière, serrant dans leurs mains leurs chapelets de perles en bois. Un chœur de lamentations lugubres résonna. Les devantures de leurs baraques étaient presque détruites, des feux se déclaraient ici et là, et des montres de contrefaçon étaient éparpillées en pièces tout autour du bazar, les cadrans tordus et brisés indiquant des heures saugrenues, les ressorts et autres balanciers argentés et dorés, semés à tort et à travers, faisant miroiter dans la lumière du soleil la terre fraîchement criblée d'impacts.

La fumée et la poussière du dernier tir s'éloignaient, suspendues dans l'air, vers les quelques nuages grossièrement disposés dans le ciel bleu pâle. Une sirène retentit, un avertissement vain. Je me hissai tant bien que mal hors de mon fossé et me dirigeai vers le petit bazar en flammes, les bottes trempées comme des éponges immondes.

Dans une cour à découvert, les médecins s'occupaient des blessés. Un marchand était allongé dans la poussière, le sang noir jaillissant de sa gorge. Ses yeux noirs s'écarquillèrent, puis se fermèrent d'un coup. Ses jambes s'agitèrent frénétiquement, ses sandales marron et usées balayant le sol, dessinant dans la terre des lignes abstraites telles les aiguilles d'une horloge obscène. Les médecins faisaient pression sur sa blessure au cou, incapables d'arrêter l'hémorragie, jusqu'à ce que son corps, à bout de réserves, eut un dernier sursaut avant de reposer à nouveau de tout son long dans la poussière. Ses collègues, massés autour de lui, éloignèrent les médecins, soulevèrent son cadavre et le portèrent sur leurs épaules indifférents au sang qui maculait leurs tuniques blanches et les pans de leurs coiffes. L'un d'entre eux ramassa une planche de contreplaqué, et la posa sur une fontaine à sec qui trônait au centre de leur bazar. Ils y allongèrent le corps et entamèrent des litanies aux sonorités mystiques. Les pièces d'artillerie un peu à l'écart de la chapelle s'agitèrent et sursautèrent, balançant des obus qui sifflaient en direction de la ville. À l'endroit où l'homme était mort, le sol était couvert de taches marron et d'étranges marques laissées par les derniers soubresauts de son corps. Je mis un genou en terre pour regarder de plus près, mais me détournai, pris d'un haut-le-cœur. L'image enflamma mon esprit tel un paysage ravagé par les éléments, et, même en m'éloignant, je continuai de la voir : la parfaite silhouette d'un ange sanguinolent inscrite dans la poussière.

Je me frayai un chemin vers la chapelle. Son clocher s'était effondré. La croix en bois brisée gisait sur la terre à proximité d'un massif de tamaris. La fille médecin était là, là où je m'attendais à la voir, étendue par terre près de l'édifice, ses mèches de cheveux balayant la poussière, de façon à la fois surnaturelle et bien réelle.

Ses paupières étaient à demi closes. Deux soldats en uniforme se penchaient sur elle comme s'ils se livraient à une vieille pantomime, tentative muette pour la ramener à la vie.

Tandis que je m'approchai, l'un d'eux me regarda. « Je crois qu'elle est morte », dit-il. L'autre se détourna. C'était Murph, à genoux, les mains sur les cuisses, bouche bée devant le corps. « Je suis arrivé hier », reprit l'autre. Murph demeurait silencieux et immobile. « Je ne savais pas quoi faire », continua le garçon, en larmes à présent. Puis il hurla, « Où ils étaient, ces putains de médecins ? » Je le saisis par les épaules et l'aidai à se lever.

« Allez, mon pote, dis-je, il faut qu'on la déplace. »

Deux planches abîmées et gondolées des murs de la chapelle étaient tombées sur elle et nous les ramassâmes. La puissance de l'explosion avait déchiré sa chemise, et une profonde blessure sur son flanc avait déjà cessé de saigner. Sa peau était gris pâle. Le gris de la mort. Nous rabattîmes le pan de sa chemise, installâmes par terre trois planches les unes à côté des autres, et déposâmes son corps dessus.

J'attachai les planches avec de la corde, et soulevai. « Murph, lançai-je, allez, donne-nous un coup de main. » Le soldat fraîchement arrivé se saisit de l'extrémité près des pieds, et Murph se recroquevilla, impuissant, dans les ruines encore fumantes de la chapelle, se répétant encore et encore, « Que s'est-il passé ? » Sa plainte s'évanouissait peu à peu tandis que le nouveau et moi grimpions jusqu'au sommet de la colline avec le corps pour l'emmener au poste médical.

Nous dépassâmes un bosquet d'aulnes et de saules qui ployaient dans la chaleur des feux qui brûlaient à proximité, leurs vieilles branches pleurant ce corps étendu sur un brancard de fortune. Nos mains se contractaient un peu plus douloureusement à chaque pas, et nous tentions de rassembler tout le respect qu'il nous restait, en nous cramponnant aux planches. Des ampoules se formaient dans nos paumes. Les courbes arrondies de la jeune femme se balançaient sous ses vêtements au gré de nos mouvements. Les planches craquaient. Un petit groupe d'hommes rassemblés pour un comptage d'effectifs se tournèrent vers nous altérés : pâle haie d'honneur d'uniformes sales et décolorés tandis que nous gravissions la faible pente avec la dépouille. Une fois au sommet, nous déposâmes notre fardeau par terre sous un arbre. Le corps était à présent translucide et bleuté. Un des soldats alerta les médecins et nous les regardâmes s'approcher d'elle. Ses amis l'enlacèrent et l'embrassèrent. Elle roulait, inerte, dans leurs bras aimants et ils pleuraient dans la lumière du couchant. Je passai mes mains derrière mon crâne. Le muezzin appela à la prière comme je m'éloignai. Le soleil dessinait une gigantesque tache de sang à l'horizon. Le feu s'était propagé depuis la chapelle, et enflammait à présent le massif de tamaris. Les braises rougeoyaient telles des lampes pour éclairer mon chemin.

# 9

## NOVEMBRE 2005

*Richmond, Virginie*

Avant le retour de l'automne, je m'étais installé dans un bâtiment de l'ancienne usine à gaz désaffectée au bord de la rivière. Je menais une vie minuscule. Je m'étais aménagé un appartement dans les étages, et ne voyais pratiquement personne. Un chat calico s'installait de temps à autre dans un pot de fleurs abandonné suspendu à ma fenêtre. Il avait l'habitude de flâner sur les corniches, sautant entre les climatiseurs hors service et les quelques balcons de l'édifice. J'essayai de l'approcher une ou deux fois pour le caresser. « Salut, toi, dis-je, viens ici, minou-minou », mais il se contenta de miauler à mon attention et de frotter sa tête sur le bout d'une branche dénudée. J'avais accroché quelques médailles au-dessus d'un petit chauffage à gaz. La photographie de Murph que j'avais prise dans son casque était punaisée sur le plâtre fissuré près de la fenêtre. Je sortais rarement.

Parfois, je traversais la passerelle en direction de la ville pour aller m'acheter un pack de bières ou des tourtes à la viande congelées. Sur le chemin du retour, comme je regardais pratiquement tout le temps le bout de mes bottes, je remarquais que mes pas étaient de plus en plus petits. Depuis que j'étais rentré au pays ma démarche s'était disloquée pour finir par traîner les pédales. Lorsqu'il faisait assez froid, je laissais des bières dehors toute la nuit sur l'appui de la fenêtre. Je réchauffais une tourte sur la plaque électrique car ma cuisine n'était pas équipée pour la préparer comme indiqué sur le mode d'emploi. À la nuit tombée, alors que le givre apparaissait aux coins de mes carreaux, je feuilletais des magazines que j'avais ramassés dans les poubelles, à la recherche des noms de lieux où j'avais été. J'avalai la moitié de mon repas tiédasse et buvais assez de bières fraîches pour pouvoir dormir. Je me suis souvent demandé ce que les gens voyaient lorsqu'ils levaient les yeux depuis la rivière qui suivait son cours habituel au fond de la vallée, et apercevaient mon bras, maigre et blanc, surgissant d'un rideau jaune ; une main désincarnée saisissant, régulièrement, une dernière, juste une dernière bière, avant de dormir.

Au matin, je montais sur le toit de l'immeuble, actionnais le levier d'un fusil bon marché que j'avais acheté chez Kmart, et tirais sur les ordures qui s'accumulaient au pied du bâtiment. De petits feux s'amorçaient parfois lorsque les plombs faisaient des étincelles dans les cartons et les chiffons mis au rebut, entassés à mes pieds. Je suivais les oiseaux en plein vol, pointais mon viseur sur eux, mais un tremblement s'emparait alors de moi et je vidais, encore et encore, les cartouches non utilisées de mon chargeur, les laissant s'éparpiller sur le toit goudronné autour de ma chaise de jardin.

Voilà à quoi se résumait plus ou moins ma vie. J'étais comme le conservateur d'un musée désert. Je n'attendais pas grand-chose de moi-même. Je rangeais parfois un souvenir de la guerre dans une boîte à chaussures pour le remplacer par un autre : une douille par ici, un morceau de l'épaule droite d'un uniforme par là. Des objets qui marquaient une existence, mais dont je n'avais pas forcément besoin pour vivre.

Les chargés de la commission d'enquête militaire finiraient par me retrouver, et j'étais presque sûr de savoir ce qu'ils voulaient. Quelqu'un allait devoir être puni pour ce qui était arrivé à Murph. Et le niveau de culpabilité de chacun importait probablement peu. J'étais coupable de quelque chose : il n'y avait aucun doute là-dessus. Quels crimes avions-nous commis, en revanche ? Quelles charges pèseraient contre nous ? Ils sauraient ce qui correspondait à ce que nous avions fait ; justice serait rendue, la mère de Murph aurait gain de cause, et cesserait de demander à l'armée si elle n'était pas en train de dissimuler les véritables circonstances de la mort de son fils.

Et moi ? Cette lettre ? Je prendrais cinq ans, me disais-je. Je ne me souvenais que vaguement des longues séances durant lesquelles nous avions survolé le droit militaire pendant nos classes. Les sergents instructeurs semblaient vraiment nous serrer la vis les nuits précédentes : des séances d'abdominaux interminables dans les couloirs de la caserne, un footing matinal qui transformait nos jambes en tiges vacillantes. Ainsi, lorsque l'officier du département judiciaire des armées montait sur l'estrade au matin pour nous expliquer tout ce que l'on attendait de nous selon le code unifié de justice militaire, je me souviens seulement que j'étais au bord de m'endormir, flottant sur le siège rembourré de l'auditorium, et que je me sentais si bien. Je ne suis pas irréprochable. Certains diront que j'aurais dû le savoir, putain, tu étais soldat et tu n'étais pas foutu de rester éveillé ? Bah, en fait, je ne suis pas un héros, pas un garçon exemplaire, j'ai eu de la chance de m'en sortir vivant et en un seul morceau. J'étais prêt à échanger n'importe quoi contre ça. Telle était ma lâcheté : j'acceptais le fait qu'il faudrait payer ma dette un jour ou l'autre, mais pas maintenant, s'il vous plaît, pas maintenant, je suis prêt à tout pour avoir un petit peu plus de temps.

Pourtant, les choses se déroulèrent si facilement lorsque l'heure sonna. Quelque chose se modifia. On me demandait de régler l'addition. Je me souviens du ciel blanc et du brouillard au-dessus du James, de la neige, incroyablement précoce pour la Virginie, qui tombait sur les hôtels et les entrepôts de tabac abandonnés, chaque flocon identique au précédent, et du voile de mes rares souvenirs, de ma mémoire limitée, tandis qu'ils descendaient sans merci sur la rivière, sous ce ciel uniforme et bas.

J'avais retourné tous les instants dans ma tête depuis mon retour d'Al Tafar. Un par un. Puis un jour nouveau arriva, la neige n'étant qu'une curiosité qui le distinguait des autres. Je tendai mes mains par la fenêtre ouverte dès les premiers flocons, et les observai, sans sourciller, se poser et fondre sur ma peau ; je contemplai les pierres de la rivière se couvrir d'un léger manteau blanc, et les sycomores et les cornouillers dénudés qui bordaient l'avenue en contrebas. Une voiture apparût, une Mercury, grise, je crois, et se gara. Un homme en sortit. Les petites barrettes argentées sur ses épaules reflétèrent une lumière inconnue lorsqu'il ferma sa portière.

Quand j'y repense à présent, je me souviens encore de ses pas, je le vois remonter la rue en boucle, et j'ai l'impression que j'aurais dû demander à la neige de cesser de tomber, qu'elle m'accorde juste un sursis, afin de ne pas avoir à faire face à l'*après*. Mais, dans mon esprit, les flammes du temps brûlent encore, exactement comme elles se consumaient à l'époque.

Peu après, il frappa à ma porte. J'ouvris, pas rasé, honteux de l'état d'abandon dans lequel j'étais. Il fut un temps où j'étais plutôt content de ma capacité à lâcher, à oublier, à attendre… pourquoi ? Je ne sais pas. Le capitaine pénétra dans la pièce, et sa présence envahit le vide dans lequel je vivais. Je ne portais qu'un short et un maillot sans manches un peu taché. Il faisait froid. La neige blanchissait la fenêtre comme si un linceul y avait été suspendu. Une mince couverture recouvrait mes épaules et je puais. Cela faisait des semaines que je n'avais pas dessaoulé.

« John ? demanda-t-il doucement.

– Oui, monsieur.

– Je suis le capitaine Anderson, de la commission d'enquête militaire. » Il posa son couvre-chef sur la petite table qui résumait pour ainsi dire tout le mobilier de mon appartement. « Savez-vous pourquoi je suis ici ?

– Ma mère a dit...

– Elle a dit que vous étiez parti.

– C'est vrai.

Il sourit. « Vous ne pouvez pas nous échapper, John. Mais quoi qu'il en soit, on veut juste vous parler. »

Il y avait quelque chose d'étrange dans sa façon de s'exprimer. Sa voix était douce, mais elle avait une certaine puissance, une certaine assurance. Tandis qu'il me parlait, Mère Armée me parlait. Grand et athlétique, il avait toutefois la bedaine du prof de gym qui vit seul et regarde les programmes sportifs à la télé en buvant ses six bières. Ses yeux étaient un peu fatigués et il était trop vieux pour le grade de capitaine.

« Vous connaissez LaDonna Murphy. »

Je ne répondis pas.

Il sortit de la poche intérieure de sa veste une pochette transparente contenant une enveloppe qui avait été déchirée et ouverte dans l'urgence, cela se voyait. « Il ne s'agissait pas d'une question », poursuivit-il. Il se dirigea vers le mur où mes quelques médailles étaient accrochées, les regarda une à une attentivement, et s'arrêta un instant devant la photographie de Murph.

« Vous avez écrit cette lettre. »

Je ne savais pas quoi dire. Si l'écrire était une erreur, alors j'avais commis une erreur. Si ce n'était pas le cas, j'avais commis trop d'erreurs pour ne pas accepter la sanction quelle qu'elle fût. J'étais prêt. Toutes les images de la guerre dont je me souvenais surgirent dans ma tête comme un kaléidoscope. Je fermai les yeux et sentis le poids du temps me passer sur le corps. Je ne parvenais pas à identifier les moments. Rien ne semblait avoir le moindre sens. Tout était dans le désordre, et on me demandait de répondre d'une histoire qui n'existait pas.

Le cri d'un engoulevent dehors me fit ouvrir les yeux. Le capitaine n'avait pas bougé. Je ne parvenais pas à comprendre ce qui séparait un instant du suivant, comment chacune de mes respirations deviendrait d'une certaine façon un souvenir auquel on attribuerait sa propre signification, et qui ferait partie du vaste matériel mémoriel qu'il me restait et dans lequel j'étais censé trouver une réponse.

Il attendit, puis dit, « Quoi, vous avez jeté l'éponge ?

– Non.

– On ne dirait pas.

– C'est différent maintenant.

– Non. C'est vous qui êtes différent.

– Tout le monde s'en fout.

– Et alors ?

– Je ne sais plus comment vivre ici.

– Mmm… Je vois bien ce que vous voulez dire. À l'époque on assimilait ça à de la lâcheté. Avez-vous vu les médecins ?

– Ouais, je les ai vus. »

Je me souvenais de ce long mois de février au climat déréglé que nous avions passé au Koweït, séquestrés pour une durée indéterminée, à attendre de rentrer à la maison. Jour après jour, je regardais le désert qui s'étendait de toutes parts comme un océan de cendre. Nous devions subir une évaluation pour estimer notre capacité de réadaptation au monde. La compagnie était parquée sous une gigantesque toile de tente. Des presse-papiers à clip, des crayons, et des feuilles passaient dans les rangées de garçons assis sur des bancs, à distance réglementaire. À l'extérieur, le désert continuait de progresser, grignotant lentement la végétation telle une vague déferlant sur une côte, vers un infini indifférent et inévitable, mais nous étions heureux d'être loin au sud d'Al Tafar : hors de combat. Les bancs étaient fermement plantés dans le sable et au fond de la tente un officier prit la parole.

« Messieurs, vous vous êtes bien battus, vous aviez un bon commandement, donc vous êtes vivants. À présent, vous allez pouvoir rentrer chez vous. »

Au fond de moi j'étais très inquiet.

« Je vais vous demander de remplir le formulaire qui se trouve devant vous. Cela va nous aider à mesurer votre niveau de stress. » Il s'interrompit et tira sur le bouton de sa chemise amidonnée, lissant ainsi les plis récalcitrants. « Je vous garantis que celui qui croit ressentir le moindre, disons, trouble, bénéficiera des meilleurs soins psychologiques que le gouvernement peut offrir. Plus commodément... »

Je commençai à regarder les questions tandis qu'il continuait de parler. Oubliant où j'étais, je m'immergeai vite dans le flot de pensées que le questionnaire suscitait et dans les séquelles psychologiques qu'on allait peutêtre m'attribuer. J'ignorai la poussière, le discours suffisant de l'officier et l'étrange chaleur de ce mois de février.

Question 1 : Avez-vous participé aux combats ?

Je cochai oui.

Question 2 : Vous avez tué ou vu quelqu'un se faire tuer. Évaluez votre état émotionnel en cochant l'une des deux cases ci-dessous :

A. Ravi

B. Mal à l'aise

L'officier parlait toujours. « Ce questionnaire est une science exacte. S'il est mis en évidence que vous êtes dépassés par le stress, vous recevrez les soins des meilleurs médecins qui soient. Vous n'aurez même pas à partir. Vous rentrerez chez vous quand vous serez guéris et que vous aurez à nouveau la trique pour la patrie. » Il gloussa à ces mots, comme pour nous signifier qu'il était encore l'un des nôtres, que Mère

Armée nous aimait toujours autant, et n'était-ce pas cocasse que l'on nous soumette à tous ces salamalecs.

Me revint à l'esprit une chose que le sergent Sterling avait dite après la mort de Murph. Qu'ils aillent se faire foutre. Oui. Qu'ils aillent se faire foutre, telle serait dorénavant ma devise. Je cochai la case A. Je rentrai chez moi.


« Ouais, c'est moi qui l'aie écrite », dis-je, répondant finalement à la question du capitaine.

« Monsieur », fit-il. Sa voix changea légèrement de ton.

« Je ne suis plus sous les drapeaux maintenant.

– Nous avons tous les droits sur vous, soldat. » Il sortit la lettre de l'enveloppe. Le bruit délicat du papier qui se déplie emplit la pièce, et il commença à lire : « Maman, tout va bien ici, le sergent Sterling prend soin de nous...

– Arrêtez.

– Pardon ?

– Arrêtez. J'ai dit que je l'avais écrite.

– Vous savez que vous ne deviez pas le faire.

– J'imagine. »

Il secoua la lettre. « À présent, nous savons ce qui s'est passé. Nous savons ce que vous avez fait.

– Je n'ai rien fait.

– Ce n'est pas ce qu'on nous a dit. Pourquoi ne pas nous donner votre version des faits ?

– Ça n'a pas d'importance. »

Le capitaine rit et se mit à arpenter la pièce.

Je me sentais minable, pire encore. Et je me sens toujours ainsi aujourd'hui, donc, parfois, lorsque je me souviens clairement, qu'une biche descend pour boire au ruisseau derrière ma cabane, que je sors mon fusil, mais que, pour la centième fois, au lieu de tirer sur l'animal je m'assieds, tremblant de tous mes membres, sous le soleil qui brille, je me rends compte que je ne sens rien : il n'y a pas la moindre odeur de poudre brûlée, ni de métal chauffé, ni de pot d'échappement, ni d'agneau, ni cette puanteur de Tigre, dans lequel nous avons marché avec de l'eau jusqu'aux cuisses ce jour-là. Je me dis que c'était peut-être ma faute ; putain, c'est ma faute ; non, rien ne s'est passé, ou en tout cas pas comme ça, mais c'est dur à dire parfois : une bonne moitié de ce dont on se souvient relève de l'imaginaire.

Le capitaine ne me dit pas tout, seulement qu'il y avait eu un incident. Des civils avaient été tués, et ainsi de suite. Sterling avait pris la tangeante peu avant que l'attention de quelques gradés ne se réveille et qu'ils décident de punir sévèrement l'un d'entre nous pour rappeler que les jeunes hommes en armes qui parcourent les plaines à travers le monde doivent répondre de leurs actes. Sterling ne revint jamais prendre sa part de responsabilité.

C'était une rumeur qui avait poussé le capitaine à venir me voir, car les souvenirs divers de quelques garçons avait depuis longtemps brouillé la vérité profonde de cette histoire ; les uns ayant répondu avec ce qu'ils auraient voulu que la vérité fût, les autres ayant probablement cherché à satisfaire les désirs imaginaires d'une mère méprisée et prise en pitié à cause de ce jour à Al Tafar, qui à présent semble si lointain.

Maintenant en pensant au sergent Sterling, j'avais fini par me rendre compte qu'il n'était pas de ceux pour qui l'existence des autres n'est qu'une abstraction informe. Ce n'était pas un sociopathe, pas un homme égoïste qui voyait la vie d'autrui comme une simple ombre à une fenêtre à peine éclairée. Je me disais qu'on avait dû l'interroger et qu'il avait répondu aussi vaguement que possible, sans penser que ses interlocuteurs se feraient sans nul doute une joie de chercher à combler les blancs.

Mais je crois toujours en Sterling aujourd'hui parce que mon cœur bat encore. Mentir pour lui est une affirmation du désir de vivre. Que m'importe la vérité à présent ? Et Sterling ? La vérité, c'est qu'il ne tenait pas à la vie. Je ne suis même pas sûr qu'il savait qu'il était autorisé à avoir ses propres désirs, ses propres préférences. Que c'eût été possible pour lui d'avoir un endroit favori, de marcher avec satisfaction sur les longs boulevards de sa prochaine ville de garnison, d'admirer l'uniformité des pelouses vertes et parfaitement tondues sous un ciel bleu, infini, de s'allonger sur le sable au fond d'un ruisseau clair, froid et peu profond, et de laisser l'eau laver sa peau couverte de cicatrices. Je ne sais pas à quoi aurait ressemblé son endroit favori, parce que je ne crois pas qu'il se serait permis d'en choisir un. Il aurait attendu qu'on le lui désigne. Il était ainsi. Sa vie avait été entièrement tributaire d'autre chose, comme un corps en orbite que l'on ne considère qu'en fonction de la trajectoire qu'il décrit autour de son étoile. Chacunes de ses actions avait été en réaction. Il n'avait été capable d'accomplir qu'une seule et unique chose véritablement pour lui-même, et cela avait été l'ultime acte de sa courte vie désordonnée.

Dès que le capitaine acheva de prononcer la dernière syllabe du mot « accident », je fermai les yeux. Ce faisant, je vis le sergent Sterling sur le flanc d'une montagne. Vis le canon de son fusil dans sa bouche. Vis son corps s'avachir, se ramollir dans cet instant impossible où la balle sortit de sa tête. Puis je le vis glisser de quelques mètres sur la pente, les semelles usées de ses bottes achevant leur course dans un amas d'aiguilles de pin. J'ouvris alors les paupières.

« Donc c'est bon ? » demandai-je.

Le capitaine s'approcha de moi, et posa sa main sur mon épaule. De l'autre il tripotait une paire de menottes dans son pardessus. « Ça va aller, John, dit-il, croyez-moi.

— Toute cette histoire est truffée de mensonges.

— Il n'y a pas d'autre solution, fiston. Quelqu'un doit répondre de ce qu'il s'est passé.

— La merde descend toujours au pied de la colline, hein, capitaine ?

— La merde s'insinue partout de nos jours. C'est une putain de sale guerre. Vous êtes prêt ? »

Je levai les poignets, et il me passa les menottes. « Ça va aller, dit-il encore.

— J'aimerais tant qu'il y ait plus de vrai dans tout ça, rétorquai-je.

— Moi aussi, mais ce sont des mensonges comme ceux-là qui font tourner le monde.

— Est-ce que je peux prendre quelque chose avec moi ?

— Oui, mais ils vous le confisqueront quand on arrivera là-bas.

— C'est pas grave », dis-je. Je fis quelques pas, me saisis de mon formulaire de pertes et de celui de Murph, et les coinçai dans l'élastique de mon short.

Il m'escorta dans la cage d'escalier humide et froide jusque dans la rue. Sa voiture était garée de l'autre côté de la passerelle, et je lui demandai si nous pouvions nous arrêter une minute à mi-chemin. Je jetai avec maladresse les deux formulaires dans la rivière, et les suivis du regard jusqu'à ce qu'ils atteignent au gré du courant le vieux pont ferroviaire, et disparaissent de ma vue. Il était tôt. Le soleil n'avait pas encore percé la brume qui flottait au-dessus de l'eau, et le ciel était toujours blanc, chargé de neige. Je me tournai vers les arbres bordant la rive, et je vis le monde entier défiler en fractions de seconde à la façon de la lumière qui clignote imperceptiblement entre des plans cinématographiques. Les longs épisodes non enregistrés qui constituaient mon existence se succédaient les uns après les autres, comme un film qui se serait déroulé depuis le début sans que je le sache.

# 10

## OCTOBRE 2004

*Al Tafar, province de Ninawa, Irak*

Ébété, Murph s'était éclipsé en larmes après la découverte du corps de la fille médecin étendu dans le cercle de lumière filtrant à travers le toit défoncé de la chapelle. Des éclaboussures de sang recouvraient l'herbe courte. Il n'était pas présent à la cérémonie, où le sergent-major de la brigade avait dressé le fusil de la défunte entre ses bottes et accroché son petit casque impeccable au bout du canon. Il avait déjà franchi la clôture, laissant derrière lui dans la poussière ses vêtements et son arme démontée.

Il n'était plus là mais nous ne le savions pas encore. Nous paressions dans nos quartiers, à moitié endormis sous la clarté de la lune qui projetait des ombres sur la tour de garde en contreplaqué et la triple rangée de barbelés qui encerclait la base. Rien ne nous laissait présager que cette nuit-là serait différente des autres, jusqu'à ce que le sergent Sterling arrive d'un pas calme, quelques heures plus tard, au milieu de notre groupe, et lance, « Quelqu'un a vraiment déconné aujourd'hui. Rassemblez vos affaires. » Il avait l'air contrarié de notre décontraction apparente. Certains d'entre nous étaient allongés par terre, d'autres assis ; certains s'étaient rassemblés, d'autres se tenaient un peu à l'écart, isolés. Il était difficile de dire ce qui l'ennuyait le plus : le fait que ses hommes soient vautrés en tous sens comme si on les avait déversés d'une boîte à jouets d'enfant, le fait qu'il faille à nouveau compter les effectifs, ou que l'un d'entre nous manquât à l'appel. La sirène de la base retentit, pour nous alerter de quelque chose qui s'était déjà produit, comme d'habitude. « On part à sa recherche », dit-il.

Nous nous ressaisîmes vite, empoignèrent nos fusils et nous préparâmes pour fouiller la ville d'Al Tafar. À chaque porte, les soldats se déployaient dans les ruelles alentour, l'écho du chargement des fusils résonnant dans la chaleur de la nuit. Tandis que nous pénétrions les faubourgs, les fenêtres éclairées s'obscurcissaient soudain derrière un rideau tiré. Les canons de nos armes balayaient l'air dans toutes les directions. Les chiens se transformaient en ombres mouvantes sur notre passage. La ville, après le couvre-feu, paraissait énorme et souterraine, ses ruelles sombres, un labyrinthe tentaculaire. Il était impossible de savoir si nous serions de retour dans une heure ou une semaine ; si nous rentrerions en un seul morceau, ou si nous laisserions des parties de nous-mêmes le long des canaux humides ou dans les champs desséchés. Rien n'était certain. Élaborer un plan ou faire des efforts semblait ridicule. Nous étions fatigués, et nous mesurions enfin à quel point. Nous nous répandions dans la ville comme l'eau que l'on essore d'une serpillière jusqu'au moment où nous nous retrouvâmes à une centaine de mètres du pont qui enjambait la route 1. Un homme émergea alors de l'embrasure d'une porte les mains en l'air. Vingt fusils pointés sur lui cliquetèrent en même temps.

« Monsieur, monsieur, tire pas, monsieur », implora-t-il. Sa voix était rauque, et il s'exprimait par saccades. Il se tenait là, tremblant de tous ses membres, évidemment paralysé par la peur. « J'ai vu le garçon », dit-il.

Nous le ligotâmes, le fîmes asseoir contre le mur de sa maison, et demandâmes un interprète, qui arriva masqué sous un capuchon noir avec deux trous pour les yeux et un pour la bouche. Ils se mirent à discuter tous les deux. Nous fouillions la rue du regard, de la fenêtre aux lampadaires, des arbres tordus qui bordaient le chemin aux recoins les plus sombres de la nuit. L'interprète avait les genoux appuyés sur les cuisses de l'homme, et ses mains tenaient fermement sa tunique sale ; son langage corporel nous indiquait ce qu'il lui demandait, Où est-il ? Que sais-tu ?

Il s'était arrêté acheter des confiseries aux abricots pour sa femme. Il parlait, avec son ami le marchand, de la chaleur, de la famille, du travail. Il tournait le dos à la rue, mais son interlocuteur s'était raidi, avait blêmi, et un éclair avait parcouru ses yeux qui s'étaient écarquillés. Il avait posé son argent sur le comptoir et s'était retourné lentement.

Sur la voie ferrée qui bordait la base avancée, un jeune homme étranger marchait nu ; son corps était blafard à l'exception de ses mains et de son visage tannés par le soleil. Il avançait tel un fantôme, les pieds et les jambes ensanglantés à cause des barbelés qu'il avait franchi et des détritus dans lesquels il avait marché.

L'homme nous regardait tandis qu'il racontait son histoire. Son visage semblait nous supplier, comme si nous étions en mesure de résoudre une énigme pour lui. Il parlait en agitant les bras dans tous les sens. Finalement, il s'interrompit pour reprendre son souffle, et prit sa tête dans ses mains en demandant, « Monsieur, pourquoi le garçon marche nu ? » comme si nous connaissions la réponse et qu'on la lui cachait par malveillance.

Quelqu'un donna un petit coup de coude à l'interprète. Il aboya à l'homme de continuer. Murph avait marché droit sur eux. En traversant la rue, il avait laissé derrière lui des empreintes sanguinolentes dans la poussière pâle. Lorsqu'il était arrivé à leur hauteur, il avait levé la tête vers le ciel et marqué une pause.

Nous imaginions le bleu tendre de ses yeux rougis par les larmes, la ville presque courbée sous le poids de la chaleur du soir, et la brise sèche répandant les odeurs d'égout, d'agneau fumé, d'humidité fraîche en provenance de la rivière toute proche.

Murph avait traîné ses pieds jusqu'à eux, chancelant doucement d'une jambe sur l'autre, le corps en nage.

Il avait paru ne pas avoir conscience de leur présence. C'était comme si les formes de la ville, les angles des murs et les douces teintes du soir n'étaient là que pour lui : pour qu'il puisse goûter au plaisir d'une simple flânerie dans un gigantesque musée.

Le sergent Sterling exprima à voix haute notre impatience, « Où est-il, bordel ?

– Ooohh », répondit l'homme furtivement, je ne sais pas. » Ils avaient tenté de ramener Murph à la réalité, l'avaient sommé, imploré de retourner à la base. Mais tandis qu'ils lui criaient dessus, le garçon avait repéré la silhouette d'un vieux mendiant. Il s'était détourné, avait regardé à travers eux durant un moment qui avait paru interminable, puis s'était éloigné.

Les deux hommes avaient suivi Murph du regard ; son corps entièrement dénudé apparaissait par intermittence au gré des vacillants halos de lumière et blêmes des lampadaires. Le mendiant avachi avait parcouru les tas d'ordures qui jonchaient les abords du rond-point. Murph s'était engagé sur la chaussée, et les voitures avaient fait crisser leurs freins pour s'immobiliser alors qu'il passait tel un zombie dans leurs phares. Avant qu'il n'ait atteint l'autre côté, tous les véhicules s'étaient arrêtés au milieu de la place. Les hommes avaient ouvert leurs portières et s'étaient dressés pour le regarder dans un silence sidéré ; seuls les ronronnements des vieux moteurs résonnaient.

La dernière fois qu'ils l'avaient vu, Murph s'approchait du mendiant qui, accroupi et en guenilles, cherchait avec précaution des peaux de melon et des croûtes de pain. Une nuée de mouches voltigeait autour de sa tête dans l'éclairage jaune des phares de ceux qui les observaient, mais le vieillard ne s'était pas interrompu pour les chasser. L'homme qui nous parlait et le marchand avaient été, comme les autres, complètement médusés par ce qui s'était déroulé sous leurs yeux. Dans la lumière qui éclairait le mur effondré d'un taudis, le mendiant avait saisi Murph par la main et l'avait attiré dans la pénombre.

L'homme regarda l'interprète, puis tourna ses yeux vers nous. « Ils sont partis dans la ruelle... Ils ont disparu. » Nous le libérâmes, puis nous dirigeâmes vers le nord-ouest en direction du rond-point. Nos bottes foulaient doucement la poussière, qui se déposait comme de la chaux au bas de nos pantalons. Des oiseaux et des ombres passaient en un éclair dans notre champ de vision, avant de retourner se mêler au fond sonore qui nous entourait : un moteur dans le lointain, la respiration d'un homme âgé se tenant sur le pas de sa porte, le froissement de l'*abaya* de sa femme balayant faiblement le sol en terre battue. Nous avançâmes jusqu'à dépasser une petite hauteur d'où nous vîmes des lumières s'étaler dans toutes les directions.

Nous approchâmes du rond-point et nous positionnâmes. Une stupeur s'était installée parmi les automobilistes encore présents. Ils allaient et venaient entre les voitures des uns et des autres, parlant à voix basse, agitant frénétiquement les mains comme pour souligner l'étrange tournure que prend parfois la vie.

Avant de pénétrer dans la lumière de la place, nous inspectâmes nos armes et identifiâmes les menaces potentielles. Quelqu'un haussa les épaules. Nous sortîmes de l'ombre ; pour les hommes qui se trouvaient là, nos silhouettes interchangeables étaient bien singulières. La plupart d'entre eux déguerpirent. Ils avaient peur, donc nous ne les suivîmes pas. D'autres regagnèrent à la hâte leurs véhicules, et partirent en trombe, leurs moteurs ancestraux hurlant et sifflant. L'odeur du caoutchouc s'ajouta à celle de la putréfaction qui imprégnait l'atmosphère.

Nous fouillâmes le périmètre du rond-point. Les lampadaires laissaient entendre un faible bourdonnement. Les voitures abandonnées étaient encore chaudes et émettaient de petits bruits à intervalles réguliers. Nous cherchâmes des signes de Murph dans la pénombre, quelque trace de son passage. Dans une ruelle dissimulée, assombrie par un auvent vert en lambeaux, un soldat appela.

À genoux, il fouillait dans une pile de fruits pourris, couverts de mouches. Nous nous approchâmes de lui, et le regardâmes passer ses mains dans la masse détrempée et poisseuse. Les insectes lui fouettaient doucement le visage. Il déblaya un petit espace au sol et une flaque noirâtre apparut entre les citrons en décomposition. Le parfum du cuivre stagnait, mêlé aux restes de fruits que le mendiant avait récupérés dans les ordures.

« C'est du sang », dit quelqu'un. Nous suivîmes les empreintes, à peine visibles dans la semi-obscurité qui nous menèrent vers un labyrinthe qui se perdait au pied des escaliers et au coin de rues oubliées des cartes. Nous vérifiâmes à nouveau nos armes, raffermissant notre assurance grâce aux murmures métalliques des leviers que nous changions de position, et poursuivîmes notre route.

Dans le noir, les échos du cri d'une hirondelle nous indiquaient les tournants et les coins de rue. Ils nous guidèrent jusqu'à un embranchement où la ruelle se scindait en plusieurs directions. Un vieil homme enveloppé de guenilles duquel émanait une odeur de fruits pourris gisait, prostré, au milieu. Quelqu'un lui donna un coup de pied. Pas de réaction. Le sang, non encore coagulé, colla à la botte du garçon en question et goutta dans la clarté de la lune. Nous retournâmes le corps du mendiant. La puanteur de ses plaies calleuses ou à vif, à présent éclatées par les coups qu'il avait reçus, s'empara de nous. Le gris de la mort se propageait très vite sur sa peau qui pâlissait sous nos yeux au fil des secondes.

Le sergent Sterling mâchouilla sa lèvre inférieure dans la pénombre au-dessus du corps raide, les mains négligemment fourrées dans ses poches, et le fusil en bandoulière.

« Et maintenant ? » demandâmes-nous.

Sterling regarda en arrière et haussa les épaules. « Merde, j'en ai pas la moindre idée. »

L'homme mort parut bouger un instant, mais il s'agissait seulement de l'effet de la rigidité cadavérique : une légère contraction de sa masse musculaire sur son fragile squelette. Il semblait impossible de savoir quel chemin prendre. Nous examinâmes le sol à la recherche d'empreintes. Nous commencions à craindre que Murph ne se soit vidé de son sang et ne soit tombé aux mains de ravisseurs, trop faible pour résister, aussi impuissant qu'un enfant somnanbule. Nous ne pouvions nous empêcher de l'imaginer assoupi dans la ruelle, enlevé par des hommes, emmené dans une cave, brûlé, battu, émasculé, égorgé, suppliant qu'on l'achève.

Nous suivîmes un soldat qui marchait vers l'ouest en direction des berges en pente de la rivière. Pourquoi pas, à défaut de piste sérieuse. Les minarets d'une mosquée, dans un curieux effet d'optique, avaient l'air de se pencher, comme suspendus au-dessus de tout ce qui les entourait.

Le soleil commençait à monter dans le ciel. Une palette de gris, d'or et de teintes pastel s'étalait sur la ville. La chaleur matinale dilatait nos cerveaux tandis qu'on se rapprochait de l'eau. Nous savions que d'autres unités cherchaient Murph. Nous entendîmes des rafales de tirs, et parfois le claquement sourd d'une bombe artisanale. Mais nous ne rencontrâmes aucune résistance. Les gens décampaient à notre arrivée sans demander leur reste. Nous descendîmes de part et d'autre d'une large avenue bordée de carcasses de voitures récemment brûlées.

Dans les faubourgs de la ville, nous atteignîmes une place dégagée. Deux bâtards noirs se tenaient aux pieds de leur maître. Les deux chiens et la tunique blanche de l'homme qui était en train d'atteler une mule à trois pattes à un chariot contrastaient dans cette dévastation morose. Un morceau de bois mal dégrossi se substituait au membre antérieur droit disparu de l'animal. L'homme nous jeta un coup d'œil, vingt soldats armés jusqu'aux dents, et poursuivit sa tâche sans s'attarder sur nous plus longtemps. Nous envoyâmes notre interprète voir quelles informations il pouvait nous fournir, s'il en avait. Puis nous attendîmes, assis nonchalamment autour de la place, nos fusils pointés vers les quelques fenêtres ouvertes et en direction des rues désertes adjacentes.

Ils échangèrent une poignée de mots, et le charretier se tourna vers l'une des rues en désignant du doigt le minaret d'une mosquée devant laquelle nous étions passés plus tôt. Il se dressait, presque fragile au-dessus de la rive, protubérance de pierre mouchetée. Seuls une route et des champs arides nous séparaient de l'édifice.

Le sergent Sterling tripota son viseur, intervertissant vision nocturne et vision diurne, tout en essayant de décider de ce que nous allions faire. Pour finir, il cracha sur la route poussiéreuse et dit, « Ils ne varient pas beaucoup les cultures par ici. On dirait bien qu'ils tireront jamais rien de ces terres-là ! » Il s'interrompit à nouveau. Puis il demanda à l'interprète, « Qu'est-ce qu'il dit ?

– Il a vu des hommes qu'il ne connaissait pas rentrer dans le minaret hier soir.

– Combien ?

– Cinq. Peut-être six.

– Ils avaient l'air bizarre ou quoi que ce soit ? »

L'interprète le regarda, perplexe. « Bizarre par rapport à quoi ? » Sterling s'accroupit. « D'accord, vous les gars, délimitez un périmètre ici, dit-il au reste de l'unité. Moi et Bartle, on va aller vérifier là-bas. C'est sûrement rien. »

Le charretier proposa de nous guider jusqu'à la tour. Il partit devant, suivi par sa mule de bric et de broc, qu'il frappait de temps à autre pour l'encourager à avancer, tandis qu'elle tirait tout ce que l'homme possédait sur terre. L'animal consentait, l'œil patient, le claquement de ses trois sabots rythmant son pas, le bois usé de sa quatrième jambe étant enveloppé dans des pans de cuir qui étouffaient les sons. À l'arrière du chariot, un tapis de prière élimé recouvrait quelques pots en argile et en pierre. Des objets en fonte bringuebalaient ici et là, au milieu d'une collection de figurines tressées ornées de perles turquoise, bordeaux, et vertes.

Un arbre résistait dans un champ stérile, oscillant doucement dans l'air vicié. Plus nous nous rapprochions du minaret, plus l'odeur de la rivière prenait le dessus, une douce fraîcheur que nous avions depuis longtemps oubliée. Puis le minaret d'un rose pâle marbré surgit dans un angle singulier, sa ligne dominant mon champ de vision. L'ermite frappa la croupe de sa mule avec un long bâton de cèdre brûlé pour lui donner l'ordre de s'arrêter. L'animal ralentit puis s'immobilisa, et, alors que le chariot roulait encore sur quelques centimètres, elle sautilla sur son astucieuse prothèse en bois d'un air impassible.

L'ermite ôta ses sandales et les déposa à l'arrière de son chariot. Il remua lentement ses orteils, comme pour les détendre avant d'entamer son voyage. Après avoir jeté un œil de part et d'autre plusieurs fois, peut-être pour se persuader de sa place dans le monde, il se dirigea à l'avant de l'attelage, où sa mule boiteuse respirait tranquillement. Il lui donna une poire, et caressa doucement son chanfrein tandis qu'elle mâchait, l'observant de ses yeux noirs qui semblaient vouloir le remercier. Puis il s'éloigna dans le champ poussiéreux en direction de l'arbre esseulé, et s'allongea contre une grosse racine adéquate, dans l'ombre des branches tombantes.

Je regardai Sterling et haussai les épaules. Il fit de même et héla l'homme du bord de la route. L'écho de sa voix retentit dans la chaleur de la fin de matinée. Nous demeurâmes là les bras ballants.

L'homme répondit depuis son arbre, et l'interprète traduisit ses propos avec un léger décalage. L'écho de leurs voix se mêlait, et la confusion sonore éveilla en moi une impression de déjà-vu.

« Il dit qu'il est déjà passé par ici, et qu'il ne veut pas refaire le chemin une autre fois. » La voix de l'homme au loin s'éteignit avant que l'interprète ne termine dans un anglais approximatif. Nous le regardâmes circonspects, et il poursuivit, « Allez voir là-bas », en pointant le doigt vers un bosquet de verdure au pied du minaret.

Sterling s'avança vers l'interprète. « D'accord, toi tu dégages de là. Tu retournes avec les autres.

« — Je ne sais pas, sergent, dis-je. Y'a un truc qui cloche. J'ai l'impression que c'est un guet-apens. »

Il me toisa avec une sérénité exemplaire. « Allez, soldat, je croyais que tu avais fini par piger. "Un truc qui cloche", c'est exactement ce qu'on cherche. »

J'attendis.

« Ah, et puis merde, dit-il. Y'a qu'un seul moyen d'en avoir le cœur net. »

Nous l'avions cherché d'arrache-pied, ce garçon, ce nom, ce numéro sur la liste. Alors que l'interprète nous indiquait la direction, nos peurs étaient devenues réalité, et nos espoirs s'étaient évanouis en silence. Nous nous étions rendus en quelque sorte sans savoir à qui, ni à quoi. Des tirs résonnaient régulièrement dans le lointain. La ville serait constellée de douilles vides, ses murs déjà meurtris de nouveaux impacts. On laverait le sang des rues et l'eau rougie s'évacuerait dans les caniveaux sur notre passage.

Nous observâmes le vieil homme dans le champ, se reposant paisiblement à l'ombre de l'arbre, et prîmes conscience de son grand âge, de la profondeur de ses yeux noirs et du mystère qui les habitait. Sa tunique blanche ballait au vent ; il rit, et chassa quelques abeilles d'un revers de main. Nous fîmes demi-tour, et nous dirigeâmes vers les taillis qui bordaient la tour.

Au pied du mur, les arbres et les fleurs étaient clairsemés et desséchés. Nous contournâmes la base de l'édifice dans la fournaise de midi. La masse de pierre semblait surgir de la terre et de la flore sans vie comme un antique point d'exclamation. Nous trouvâmes

Murph, finalement, dans un parterre de jacinthes calcinées, gisant, immobile à l'ombre des herbes et des basses branches.

Finir les os brisés dans un carré de végétation, tel avait été son ultime voyage ; ses membres avaient pris des positions absurdes au pied de cette tour rose et chatoyante. Nous déplaçâmes les broussailles que le vent ou des passants avaient dispersées sur lui. Nous découvrîmes d'abord ses pieds. Ils étaient petits et couverts de sang. Un sergent chargé de l'intendance aurait pu évaluer illico qu'il chaussait du quarante, mais Murph n'aurait plus besoin de bottes à présent. En levant les yeux, il était évident qu'il était tombé d'une fenêtre au-dessus, où deux haut-parleurs avaient été installés pour amplifier la voix du muezzin.

Daniel Murphy était mort.

« Ce n'est pas si haut, quand on y pense, fit Sterling.

– Quoi ?

– Je crois qu'il était probablement mort avant de tomber. Ce n'est pas si haut. »

Ce n'était effectivement pas une chute d'une hauteur considérable : ses os s'étaient brisés avant l'impact, il n'y avait pas eu de résistance ou de tentative d'atterrissage ; le corps était tombé, le garçon était déjà mort, la chute elle-même ne signifiait rien.

Nous dégageâmes Murph de l'enchevêtrement de broussailles, et l'allongeâmes dans une ombre plus respectueuse. Nous restâmes auprès de lui, debout, à l'observer. Il était brisé, couvert d'hématomes, lacéré, blafard à l'exception de son visage et de ses mains, et ses yeux avaient été arrachés. Les deux orbites vides semblaient deux passages tumultueux et cramoisis vers son esprit. Sa gorge avait été tranchée presque complètement. Sa tête pendait mollement au bout de quelques-unes de ses vertèbres encore intactes. Nous le traînâmes comme une biche morte hors du bosquet, tentant en vain de faire en sorte que son corps dénudé ne heurte pas trop fort le sol, que sa tête ne balance pas trop violemment d'un côté et de l'autre : une scène que nous n'allions jamais oublier. Ses oreilles avaient été coupées. Son nez aussi. Et il avait été castré approximativement.

Il était resté avec nous dix mois. Il avait dix-huit ans. À présent, c'était un anonyme. La photographie de lui qui allait paraître dans le journal le montrerait en simple uniforme kaki pendant ses classes, avec quelques boutons sur le menton. Nous ne le verrions plus jamais ainsi.

Je sortis la couverture de mon paquetage, et l'étalai sur son corps. Je ne pouvais plus le regarder. Nous avions tous déjà vu la mort et pas qu'une fois : le capharnaüm poisseux après l'explosion d'un kamikaze, les corps décapités entassés dans un fossé telle une collection de poupées cassées sur l'étagère d'une chambre d'enfant, même des hommes de nos rangs parfois, se vidant de leur sang et chialant comme s'il était devenu évident que l'extraction sanitaire aurait lieu trente secondes trop tard. Mais aucun d'entre nous n'avait jamais vu ça.

« Qu'est-ce qu'il faut faire de lui ? » demandai-je. Les mots eux-mêmes paraissaient incompréhensibles. Je me débattais avec le sens de cette question, convaincu que la décision nous revenait à nous seuls. Deux garçons, l'un de vingt-quatre ans, l'autre de vingt et un, allaient décider de ce qu'il adviendrait du corps d'un troisième mort et massacré au service de sa patrie dans un coin paumé du globe. Nous savions que, si nous le ramenions, il y aurait des questions. Qui l'a trouvé ? De quoi il avait l'air ? C'était comment ?

« Putain, mecton. T'avais pas besoin de sortir comme ça », dit Sterling au corps qui gisait à ses pieds. Il se laissa tomber sur son cul dans l'herbe sèche, et retira son casque.

Je m'assis près de Murph et me mis à trembler, me balançant sur moi-même d'avant en arrière.

« Tu sais ce qu'il nous reste à faire.

— Pas comme ça, sergent.

— C'est pourtant ce qu'on doit faire. Peu importe. Tu connais la musique, Bart.

— Ce sera pire.

— C'est pas nous qui décidons. C'est pas pour ça qu'on nous paye.

— Sergent, il faut me croire. On ne peut pas laisser faire ça. »

Nous savions tous deux ce que « ça » signifiait. Les véritables mystères sont très rares dans la vie. Le corps serait envoyé au Koweït, où il serait rafistolé autant que possible et embaumé par le service des pompes funèbres. Il serait ensuite rapatrié vers l'Allemagne, empilé avec d'autres sur un tas de cercueils métalliques sans fioriture tandis que l'avion ferait le plein de kérosène. Il atterrirait finalement à Dover, et quelqu'un le récupérerait, avec un drapeau, et les honneurs de la nation reconnaissante ; et, dans un moment de faiblesse, sa mère ouvrirait le couvercle du cercueil et verrait son fils, Daniel Murphy, verrait ce qu'on lui avait fait, et il serait enterré, oublié de tous sauf d'elle, qui resterait assise dans son rocking-chair dans les Appalaches jusque tard le soir, se laissant aller, ne se lavant plus, ne trouvant plus le sommeil, et fumant sans même s'en rendre compte jusqu'à ce que la cendre de sa cigarette soit si longue qu'elle semblerait toujours sur le point de tomber à ses pieds. Nous aussi, nous nous souviendrions de lui, parce que nous aurions eu l'occasion de changer ça.

Sterling se leva et fit les cent pas. « Essayons de réfléchir une minute, dit-il. File-moi une clope. »

Je lui en tendis une et m'en allumai une aussi. Mes mains tremblaient dans le vent qui n'arrêtait pas d'éteindre mon briquet ; puis une bourrasque souffla sur la couverture, découvrant ce qu'il restait du visage de Murph. Sterling fixa les orbites vides. Je rabattis la couverture. Les minutes s'égrenaient, rejoignant instantanément le passé. Quelques moineaux allaient et venaient dans les broussailles en pépiant. Le bruit de la rivière devenait plus distinct.

« T'as plutôt intérêt d'avoir raison. »

Je ne parvenais plus à penser. Je voulais retirer tout ce que j'avais dit. « C'est tellement merdique, sergent.

– Calme-toi, mec. Tu te calmes, d'accord ? » dit-il, et il marqua une pause, songeur. « Voilà ce qu'on va faire : tu prends cette radio et tu dis à l'interprète d'envoyer le hadji avec sa charrette. Tu lui dis aussi qu'on l'a pas trouvé. »

Je pris un temps pour rassembler mes esprits. Sterling poursuivit, « Il va falloir qu'on fasse comme si tout ça n'était jamais arrivé. Tu sais ce que ça veut dire, hein ?

– Ouais, je sais.

– T'es sûr ?

– Sûr. »

Nous attendîmes. Une paix étrange s'installa entre nous. Le soleil intense transformait la périphérie de notre champ de vision en un brouillard de couleurs aux formes abstraites. Les contours devenaient flous. L'ermite s'acheminait dans notre direction, tapotant la croupe de sa mule, avançant doucement dans la chaleur. Nous ne distinguions clairement que sa silhouette et celle de sa bête dans un mirage brumeux, tout le reste semblant fondre, se déformer ou se refléter. La mule progressait à pas lents sur son antérieur bricolé, l'homme la guidait patiemment, et les deux chiens couraient derrière lui. Il arriva à notre hauteur, nous regarda l'un après l'autre dans les yeux comme s'il procédait à une inspection, et dit finalement, « Donne-moi une cigarette, monsieur. » Je lui en offris une, il l'alluma, inspira une profonde bouffée, en souriant.

Sterling saisit les jambes de Murph, et tenta de le soulever. Nous ne pûmes pas retirer ce que nous avions dit. Nous n'en eûmes en vérité jamais l'occasion. Ce fut comme si nous avions déjà accompli cette besogne dans une autre vie, dont je n'avais qu'un souvenir vague. La décision avait été prise. Je m'avançai vers Sterling et attrapai les bras de Murph. Je tressaillis brièvement. Mon cœur s'emballa. Nous ramassâmes Murph, chassâmes les mouches qui se trémoussaient sur sa peau, et nous efforçant de ne pas regarder ses orbites vides, nous le déposâmes à l'arrière du chariot au milieu de l'argile, des pierres, et des figurines de paille.

« On va l'emmener à la rivière, dit Sterling. On le laissera là-bas. Donne-moi ton briquet, Bart. »

Ce que je fis. Il alluma mon Zippo, le laissa brûler quelques instants, et le lança dans les broussailles au pied du minaret.

« On y va », dit-il.

Nous n'étions pas très loin de l'eau, et nous cheminâmes derrière l'ermite et sa mule presque au trot. Nous suivîmes cette curieuse clique, homme, mule et chiens, pendant environ cinq cents mètres, et nous aperçûmes les berges. L'eau lapait les bords, et les joncs oscillaient doucement dans le sol marécageux.

Sterling me tapa sur l'épaule, et désigna du doigt derrière moi le minaret en flammes auquel s'était propagé le feu de broussailles que nous avions déclenché. Vas-y, brûle-le. Brûle-le jusqu'au bout. La tour semblait allumée telle une bougie dans la lumière du soleil qui, à présent, entamait sa descente après avoir atteint son brutal apogée. Je songeai l'espace d'un instant que nous aurions dû brûler toute la ville, et pas seulement cette tour. Un éclair de honte m'envahit, mais j'oubliai vite pourquoi.

Sterling me regarda, et chuchota, surtout pour lui-même, « Qu'ils aillent se faire foutre, mec. Qu'ils aillent tous se faire foutre. »

Amen. Nous flottâmes derrière le chariot tandis que nous descendions la large avenue qui menait à la rivière, bordée de peupliers et de cadavres, résultat de nos fouilles, opaques ombres marron de tous âges et de toutes espèces. Beaucoup de choses brûlaient encore. Les arbres élancés et les fleurs absorbaient le feu : telles d'antiques balises lumineuses, les troncs noueux s'alignaient, rougeoyant au sommet dans le soleil couchant, éclairant faiblement les corps éparpillés, et faisant reculer la pénombre.

Nous flottâmes en passant devant les habitants de la ville, vieux et jeunes sans enfance, vivant dans des taudis, hurlant dans leur langue mélodieuse quelque hymne funèbre oriental sonnant comme un chant de châtiment qu'ils nous adressaient spécialement. À l'arrière de la charrette, une lueur orangée se reflétait sur le corps blafard de Daniel Murphy, camaïeu flamboyant et vacillant sur sa peau fine et parcheminée où les ombres dansaient. Seul le pas claudicant de la mule estropiée et les tremblements du chariot le faisaient bouger dans ce décor d'apocalypse.

Nous l'accompagnâmes jusqu'au bord de la rive. L'ermite caressa le nez de sa mule, se dirigea vers l'arrière de son chariot, enlaça Murph, et le souleva pour sortir son corps. Sterling et moi prîmes chacun une jambe, et nous fîmes ensemble les quelques pas qui nous séparaient de l'eau. Murph flotta dans le courant continu qui l'emmena rapidement, et, quand il passa devant les joncs, nous entrevîmes deux petites mares d'eau dans ses orbites vides.

« C'est comme s'il ne s'était jamais rien passé, Bartle. C'est la seule solution, dit Sterling.

– Ouais, je sais. » Je baissai les yeux vers le sol. La poussière s'élevait en minuscules tourbillons autour de mes bottes. Je savais ce qui viendrait ensuite.

Sterling tira sur le charretier une fois, en plein visage, et l'homme s'écroula par terre. Même pas le temps d'être surpris par ce qu'il lui arrivait. La mule se mit à tirer sa charrette, spontanément, comme par habitude. Les deux chiens la suivirent dans le soir qui s'annonçait. Nous nous retournâmes vers la rivière. Murph avait disparu.

# 11

## AVRIL 2009

*Fort Knox, Kentucky*

Puis le printemps revint dans toutes les villes gâtées d'Amérique. Le dégel touchait à sa fin. J'en sentais les relents par ma fenêtre en ce septième mois d'avril de la guerre, le troisième et dernier de ma détention. Ma vie était devenue aussi ordinaire que j'avais pu l'espérer. J'étais heureux. C'était une prison de niveau 2, réservée aux détenus purgeant cinq ans ou moins, une prison régionale, que tous les prisonniers appelaient une garderie pour adultes. Cela me faisait rire.

Pour ma plus grande joie, presque tout le monde m'avait oublié. Les surveillants m'autorisaient à emprunter des livres à la bibliothèque carcérale qui était relativement bien tenue. Je me rendis compte qu'après les avoir lus, je pouvais, en les empilant sur le bureau métallique de ma cellule, regarder par la fenêtre, qui était assez grande pour laisser passer de la lumière mais bien trop haute pour qu'on puisse voir au travers sans aide. J'avais une parfaite vue sur la cour de promenade et la triple enceinte au-delà de la clôture de barbelés ; là se situait la limite du terrain de la prison à proprement parler, c'est du moins ce que je parvenais à distinguer en me tenant en équilibre sur les piles de livres aux reliures toujours plus fragiles. Au-delà de cette triple enceinte, le morne monde qui ignorait notre funeste petite guerre poursuivait son chemin.

Durant les premiers mois de ma détention, je passai beaucoup de temps à tenter d'organiser mes souvenirs de la guerre en une sorte de schéma : j'avais pris l'habitude de faire une marque sur le mur de ma cellule chaque fois qu'un événement en particulier me revenait en mémoire, pensant qu'à une date ultérieure je serais en mesure de m'y référer et de rassembler tous ces signes pour en faire une histoire cohérente. Je me rappelai très longtemps après ce que certaines de ces marques signifiaient : ce long trait à la craie sous le miroir à côté du « Nique l'armée » représentait ce gamin dont Murph avait enlacé la tête dans le verger alors qu'il mourait. Celui au-dessus de ma couchette évoquait une pensée que j'avais eue dans une ruelle d'Al Tafar : la chaleur du premier été battait son plein et les ombres des poteaux électriques étaient une bénédiction quand nous passions dessous ; je n'étais pas en première ligne à tourner au coin de la rue et j'en étais soulagé ; je vis Sterling se tourner vers Murph et moi pour nous faire signe de traverser la route à découvert ; je songeai alors que Murph avait eu le choix entre deux directions, que j'étais l'une d'entre elles, et je me demandai intérieurement si je méritais d'être celui qu'il avait choisi, si c'était cela que sa mère avait voulu dire lorsqu'elle m'avait prié de prendre soin de lui. D'ailleurs, était-ce bien ce qu'elle avait dit ? Ma craie se brisa, si je me souviens bien, en traçant ce trait de sorte qu'il fut beaucoup plus court que je ne l'avais prévu. Cela signifiait-il que ce choix était une illusion, que tous les choix le sont, ou que, s'ils ne le sont pas, leur force est illusoire, car un choix dépend toujours de ce que d'autres hommes et femmes décident de faire au même moment ? J'inscrivis cette marque dans une sorte d'éclair, une explosion de poussière de craie sur le mur en béton vert pâle de ma cellule. Qui peut demander que sa volonté soit faite dans ces circonstances ? Et qu'en est-il des décisions que nous n'avons pas le temps de prendre, comme Murph, qui n'a pas eu le temps pour certaines et ne l'aura jamais parce qu'il est mort maintenant ? Cela peut paraître idiot, mais cette marque et ce qu'elle signifiait restaient gravés dans ma mémoire. Un jour, je compris que tous ces traits ne pourraient jamais être rassemblés et former un schéma ou une figure quelconque. Ils étaient fixés dans leurs instants respectifs. Les relier eût été une erreur. Ils étaient apparus sur ce mur quand bon leur avait semblé. Je les avais tracés pour représenter les aléas de la guerre au moment où le souvenir me revenait : le désordre prévalait. L'entropie allait croissante dans l'univers d'un mètre quatre-vingts par deux mètres quarante de ma cellule individuelle. J'acceptai finalement que ce qui nous rend tous égaux, c'est le fait que tout s'en va et s'effondre.

Parfois, les surveillants venaient dans ma cellule, et remarquaient de nouveaux traits. Ils n'étaient jamais capables de distinguer les plus anciens des plus récents, mais certains gardiens se rendaient compte que le nombre avait augmenté depuis leurs dernières quarante-huit heures de repos, ou depuis qu'ils étaient partis en vacances. À présent, je comprends pourquoi ils y lisaient un certain schéma, peut-être y en avait-il un après tout, car je dois dire que si j'étais resté enfermé une année ou deux de plus, les murs auraient été entièrement couverts. À tel point que les marques se seraient mêlées, auraient fini par faire une sorte de lavis, une nouvelle patine blanchissant les murs avec ces traces de la mémoire, et, enchevêtrés de la sorte, les souvenirs eux-mêmes auraient semblé aspirer à devenir les murs entre lesquels j'étais emprisonné, et cela m'aurait paru juste, cela eût formé alors une figure qui valait la peine. Mais les choses ne se passeraient pas ainsi. Tout a une fin. Les gardiens avaient l'air de trouver un sens à mes petits traits, c'est tout, et on ne peut donc pas leur en vouloir d'avoir fait une erreur d'interprétation.

Ils demandaient, « Alors, ça approche, la date de sortie anticipée, hein ?

— Oui, répondais-je. On dirait.

— Ah, c'est sûr que tu vas l'avoir, t'es un prisonnier modèle.

— On verra, mais merci.

– T'en es à combien de jours ? » demandaient-ils ensuite en désignant du doigt les marques sur le mur, qui, je le comprenais à cet instant, représentaient à leurs yeux un décompte des jours passés.

« Ça doit faire entre neuf cent quatre-vingt-trois et neuf cent quatre-vingt-dix, non ? Presque mille ? ajoutaient-ils en souriant.

– Sûrement », répondais-je, en songeant à Murph, qui ne comptait plus depuis longtemps, et me demandant à quel numéro sa mort eût correspondu si je n'avais pas menti à propos de tout ça.

Sa mère vint me voir une fois, durant ce printemps qui précéda ma libération. Je pouvais voir qu'elle avait pleuré en m'attendant dans la salle des visites.

« Vous ne pouvez pas vous toucher, mais je peux vous apporter du café si vous voulez », dit le gardien.

Je ne sus pas quoi lui dire de prime abord, mais il paraissait injuste qu'elle ait à prendre la responsabilité de parler la première, sans le moindre réconfort, la moindre compréhension. Et si elle devait porter des accusations, eh bien je serais accusé. C'était ma faute si Murph était absent du caveau familial. Je l'avais laissé dans la rivière. J'avais eu peur que la vérité ne lui soit trop pénible à porter, et je n'avais pas le droit de faire ce choix à sa place. Mais elle n'était pas comme ça. Sa peine était digne et dissimulée, comme la plupart des douleurs, ce qui explique en partie qu'il y en ait tant dans ce bas monde.

« Je ne sais pas pourquoi je suis ici », dit-elle.

Je ne savais pas quoi répondre.

« J'avais besoin de te voir, tu comprends ? »

Je regardais le linoléum par terre.

« Non, bien sûr que non, tu ne comprends pas. »

Elle commença par me raconter qu'au mois de décembre précédent, une berline noire avait traversé la ville lentement. Une de ses amies lui avait téléphoné pour lui dire qu'elle arrivait. Elle avait vu l'homme en uniforme sur le siège passager et avait dit à Mme Murphy que les étrangers avaient l'air perdu, mais qu'ils seraient bientôt chez elle.

J'essayai d'imaginer M. et Mme Murphy en train de regarder par la fenêtre de leur cuisine. La neige tombait très certainement sans discontinuer depuis la fin de l'après-midi, sur l'avant-toit du porche, les collines et les branches. Le monde était propre et uniforme. Sans angles saillants, sans rien d'agressif. La voiture roulait dans le dernier virage sur la route, comme incognito.

De toute évidence, Mme Murphy et son mari aperçurent le véhicule, mais une partie d'eux-mêmes n'enregistra pas. Ils restèrent là devant leur fenêtre, pris d'une étrange torpeur. Ils étaient sans voix. La scène demeurait immuable, si ce n'était que la neige s'intensifiait un peu, et que la tache noire de la voiture grossissait au fur et à mesure que le véhicule s'approchait dans le manteau blanc. Mais leurs regards restèrent fixes. Même lorsque la berline s'immobilisa dans l'allée qui menait chez eux – le moteur au ralenti ronronnant doucement mais de façon audible –, ils ne bougèrent pas. Ils demeurèrent également immobiles lorsque le capitaine et l'aumônier retirèrent leurs couvre-chefs et frappèrent à la porte. Et même si le léger frottement de leurs phalanges contre le battant confirmait leur présence, Mme et M. Murphy continuèrent d'observer par la fenêtre la voiture comme s'il s'agissait de l'un des mystères impénétrables de Dieu.

Lorsque les deux hommes poussèrent la porte ouverte, M. Murphy embrassa sa femme, mit son chapeau sur sa tête, enfila son manteau, et sortit par la porte de derrière. Lorsque les hommes dirent à Mme Murphy, « Nous avons le regret de vous informer que votre fils, Daniel, a été tué », elle ne fit que les regarder les bras croisés, semblant attendre qu'un tiers invisible donne des détails. Personne ne le fit. Les hommes, remplissant leurs obligations avec toute la bienveillance et la déférence qu'on pouvait exiger d'eux, laissèrent finalement dans les mains de Mme Murphy leur carte indiquant l'adresse des chambres qu'ils avaient louées en attendant que le temps s'améliore. Un numéro y figurait si elle avait la moindre question.

Tandis qu'elle parlait, je réfléchissais à l'endroit où je me trouvais à ce moment précis, mais je ne parvenais pas à calculer le décalage horaire, ni à m'y retrouver entre les patrouilles que j'accomplissais avant le lever du jour, après la mort de Murph. Elle ajouta qu'elle était restée au même endroit pendant des heures. Si longtemps que la chaleur de son corps rendait visible sa silhouette à travers le carreau transparent, la neige s'accumulant dans les coins froids. Lorsque, finalement, elle bougea, le soir tombait. Elle sortit par la porte de derrière encore ouverte, et trouva M. Murphy, assis en tailleur dans la neige, qui s'amoncelait presque jusqu'à sa taille, et recouvrait son chapeau et ses épaules tel un linceul. Ils restèrent tous deux assis là en silence. La nuit arriva. Bientôt il fit noir.

Le temps qu'elle achève le récit de cette journée, le café avait refroidi, la vapeur s'était dispersée dans les heures écoulées. Mme Murphy prit nos deux tasses et versa d'un air absent le liquide dans une troisième, qu'elle me tendit.

« Je ne voulais pas que les choses se passent comme ça, dis-je.

— Ce que tu aurais voulu n'a plus grande importance maintenant.

— Non. C'est vrai. »

L'armée avait fini par céder devant elle, devant sa lutte pour obtenir vérité et justice, sa lutte pour comprendre comment, de « disparu au combat », il était passé à « mort », comprendre pourquoi les explications n'étaient jamais convaincantes. Mais ils savaient qu'avec le temps, les gens oublieraient la douleur de cette femme ; ainsi, une analyse des coûts et des bénéfices fut entreprise et ils arrivèrent à la conclusion qu'ils pourraient s'en débarrasser à moindres frais. L'histoire de sa lutte avait disparu depuis longtemps du journal télévisé mais figurait dans les tabloïds les plus minables, avec des titres racoleurs et absurdes, des photos d'elle assise dans son rocking-chair, une cigarette pendant au coin de ses lèvres fines. Elle s'était contentée d'une augmentation de l'indemnisation financière que l'armée lui versait pour compenser la perte de son fils, et de mon emprisonnement lorsque tout le monde avait cessé de l'écouter, lorsque l'Amérique avait oublié sa petite histoire, passant à d'autres souffrances comme elle le fait si rapidement, lorsque même ses amis avaient commencé à lui sourire avec condescendance en disant, « LaDonna, il faut que tu trouves *ta* vérité dans tout ça. »

C'est ce qu'elle me dit en tout cas. « Comme si ma vérité devait être différente de la tienne, comme si tu en avais une et moi une autre. Qu'est-ce que ça veut dire, enfin, *ma* vérité ? » fit-elle.

Je n'avais pas de réponse. Nous restâmes silencieux pendant un moment, sans que cela fût gênant.

« J'aimerais tant qu'il n'ait jamais quitté la maison », ajouta Mme Murphy. Elle me regarda longuement. « Et toi ? Tu as de grands projets pour après ?

– Je ne sais pas », dis-je. Je n'avais jamais pensé où je finirais quand je sortirais, ce qui correspondait pourtant à quelque chose que je pouvais contrôler, et qui comptait vraiment. J'aimais à penser que j'allais faire le bon choix si la vie me donnait ne fût-ce qu'une demi-chance. Mais je m'y étais toujours pris autrement, j'avais toujours tourné le regard vers le néant qui me restait en mémoire. Je n'étais pas très doué pour ce genre de choses. Tout ce que je savais, c'était que je voulais retourner à une existence ordinaire. Si je ne pouvais pas oublier, j'aspirais du moins à être oublié.

J'étais heureux qu'elle soit venue. Non pas qu'il y eût un rapprochement inattendu, mais parce qu'elle était tolérante et semblait vouloir comprendre ce qui était arrivé à son fils, pourquoi je lui avais fait lire cette fausse lettre, debout sous la neige, comme ça. J'étais le dernier témoin de la fin irrévocablement humaine de son fils. Il n'était à présent plus que matière, et je ne savais pas trop quoi faire de cette idée. J'imagine que tous les mots que j'employai pour tenter de lui expliquer ce qui s'était passé étaient dérisoires comparés à ce que j'avais vu. Mais j'appréciais la façon dont elle réagit à mon explication, aussi grossière fût-elle. Je ne parvins pas à établir de liens entre les évènements comme échouaient à le faire quotidiennement les marques sur les murs de ma cellule. Je ne peux pas vraiment dire quelle fut sa réaction ; son visage conserva le triste éclat du deuil, tout ce qui restait d'un sentiment dont elle serait à présent obligée de prendre la mesure. Même après avoir parlé pendant six heures d'affilée, je ne pouvais pas dire que je discernais chez elle le moindre soulagement. Elle ne m'avait pas offert son pardon et je ne l'avais pas demandé. Mais, après son départ, j'eus le sentiment que ma résignation était à présent justifiée, la sienne peut-être aussi, ce qui est un grand pas de nos jours, car on a tendance à juger sentimentale une résignation fondée.

Il y a bien longtemps à présent que tout cela s'est produit. Mon sentiment de perte s'estompe lui aussi et je ne sais pas en quoi il se transforme. Il vieillit pour une part, sachant que Murph, non. Lui, je le sens s'éloigner dans le temps, et je sais qu'il y aura des jours à l'avenir où je ne penserai plus à lui, à Sterling, ou à la guerre. Pour l'instant, néanmoins, j'ai été libéré, et je me suis offert une petite retraite dans une cabane sur les collines au pied des Blue Ridge Mountains. Parfois je sens l'odeur du Tigre, immuable dans ma mémoire, flottant précisément comme elle le faisait ce jour-là, mais très vite l'air frais et limpide qui descend des montagnes entre les forêts de pins s'étendant à perte de vue reprend le dessus.

J'ai à nouveau l'impression d'être ordinaire. J'imagine que les jours deviennent normaux. Les détails du monde dans lequel nous vivons sont toujours secondaires par rapport au fait que nous devons vivre avec. Ainsi, je suis banal, à l'exception des quelques particularités qui me caractériseront probablement toujours. Je ne veux pas parcourir le globe, aller voir de l'autre côté de l'horizon. Je ne veux pas du désert. Je ne veux pas des prairies, ni des plaines. Je ne veux rien de plat. Je préfère contempler les montagnes. Ou avoir la vue bouchée par des arbres. De n'importe quelle espèce : des pins, des chênes, des peupliers, ou autres. Je veux quelque chose d'organisable et de fini qui peut morceler la terre en parcelles suffisamment petites pour savoir quoi faire avec.

Lorsque la mère de Murph vint me rendre visite, elle apporta une carte d'Irak. Je pensai que c'était un geste étrange quand je la regardai la première fois dans ma cellule, la pliant et la repliant pour essayer d'aplatir les plis arbitraires qu'elle formait alors que je tentais de l'accrocher au mur durant la nuit. Dans un coin, il y avait une fenêtre qui représentait un plan agrandi d'Al

Tafar et de ses environs. Cela cessa d'être drôle au bout d'un moment. L'échelle semblait si étrangère à la réalité, si imprécise. Juste un endroit disproportionné sur une carte.

Le premier jour, dans ma nouvelle cabane, je déballai et étalai quelques affaires sur le vieux lit de camp vert kaki que j'avais acheté dans un magasin de l'armée aux abords de la base où se trouvait la prison. Je n'avais pas grand-chose : quelques vêtements, la carte que Mme Murphy m'avait donnée. Je scotchai tant bien que mal la carte au mur, mais les plis demeurèrent. Je me souviens d'avoir passé mon doigt le long d'un de ces plis qui longeait une petite partie du Tigre. C'était là où le fleuve traversait Al Tafar. Je fouillai dans mon sac, trouvai une de mes médailles, et l'épinglai aussi près que possible de l'endroit où nous l'avions laissé. Cette carte, comme toutes les autres, serait bientôt caduque, si elle ne l'était pas déjà. Établie à partir de l'idée d'un endroit réel, c'était une abstraction créée sur des souvenirs trop brefs et aléatoires pour donner la véritable mesure des petits effets du temps : le vent décapant et lissant imperceptiblement la terre des plaines de Ninawa, le lit d'une rivière se creusant, heure après heure, année après année ; la carte serait de moins en moins une image du concret et deviendrait de plus en plus une pauvre traduction de la mémoire en deux dimensions. Un peu comme dans une conversation, songeai-je : on ne dit presque jamais ce que l'on pense, et l'on n'entend presque jamais ce qui est dit. Cette pensée ne m'était d'aucun réconfort, mais chaque chose a sa part d'échec, et pourtant on s'en accommode.

Je sortis et marchai un peu. Tout était calme. Je somnolai sous le soleil radieux des montagnes. J'entendis le bruissement d'un tissu qu'on enlevait d'un monument dans un coin quelconque de l'Amérique. J'entendis aussi de légers murmures de voix.

Et je vis Murph comme je l'avais vu la dernière fois, mais beau. Ses blessures s'étaient adoucies, son visage défiguré exprimait une espèce de permanence. Il quittait Al Tafar dans le paisible courant du Tigre, son corps blafard mais nettoyé par les créatures aux yeux énormes qui nageaient, indifférentes, sous la surface placide de la rivière. Il était encore d'une seule pièce, même si le dégel du printemps qui descendait des monts Zagros le poussait toujours plus loin, traversant le berceau du monde qui verdissait, pour se transformer en poussière. Il passa devant deux soldats qui se reposaient dans les roseaux ; l'un d'entre eux appela ce corps martyrisé tandis que son compagnon dormait, sans savoir que Murph avait été l'un des leurs, pensant qu'il était la victime d'une autre guerre à laquelle il n'avait pas envie de participer, et la voix s'éleva doucement dans la chaleur, mélodieuse lorsqu'il cria, « Paix à ton âme, enfoiré », suffisamment fort pour réveiller son acolyte. Mais entre-temps, le corps était devenu un squelette, les blessures de Murph avaient disparu pour faire place au blanc pur des os. Il atteignit le Chatt-el-Arab, là où les eaux du Tigre et de l'Euphrate se rejoignent, et un pêcheur caressa ses restes avec la longue perche qui lui

247

servait à pousser sa petite barque à fond plat dans les marécages environnants. Et je vis son squelette finalement se disloquer dans l'estuaire, sous les longs rideaux sombres des ombres de dattiers qui s'étalaient ; et la mer emporta vers le large ses os dispersés qui pénétrèrent les vagues, se brisant à jamais.

# REMERCIEMENTS

J'ai surtout écrit ce livre seul. Toutefois, le processus qui a transformé tous ces efforts personnels en ce que vous venez de lire a nécessité l'intervention de nombreuses personnes. Je remercie par-dessus tout ma mère et mon père pour leur patience infinie. J'ai également eu des professeurs extraordinaires tout au long de mon existence, et je dois remercier profondément Patty Strong, Jonathan Rice, Gary Sange, Bryant Mangum, Dean Young et Brigit Pegeen Kelly ; votre dévouement, votre intelligence et votre gentillesse m'ont émerveillé. Je suis grandement reconnaissant au Michener Center for Writers pour la chance qu'il m'a offerte, et j'aimerais particulièrement remercier Jim Magnuson, Michael Adams et Marla Aiken pour leurs conseils et leurs encouragements. Pour avoir lu les différentes versions de ce roman, et pour leur amitié, je dois une fière chandelle à Philipp Meyer, Brian Van Reet, Shamala Gallagher, Virginia Reeves, Ben Roberts, Fiona McFarlane, Caleb Klaces et Matt Greene. Je remercie tout le monde chez Little, Brown, en particulier Michael Pietsch, Vanessa Kehren, Nicole Dewey et Amanda Tobier. Merci aussi à Drummond Moir et Rosie Gailer chez Sceptre. Je n'aurais pas pu imaginer meilleure équipe à laquelle confier mon travail, ici et à l'étranger. Je suis également très reconnaissant à tout le monde chez Rogers, Coleridge and White pour leurs efforts infatigables afin de faire sortir ce livre dans le monde, en particulier à Stephen Edwards et Laurence Laluyaux. Enfin, à Peter Straus, c'est un privilège. Il n'y a rien d'autre à ajouter. Une liste exhaustive de toutes les personnes vis-à-vis desquelles je suis redevable serait impossible à établir. Et ne serait-ce que pour cela, je considère que j'ai énormément de chance.